LE CADEAU

Danielle Steel

LE CADEAU

Roman

Laurédit.inc.

Titre original : *The Gift*

Traduit par Vassoula Galangau

© Danielle Steel, 1994
© Presses de la Cité, 1994, pour la traduction française
ISBN 2-258-03937-1

Aux cadeaux que la vie m'a offerts,
John, mon mari, et tous mes enfants.
Et puis aux anges qui ont traversé mon existence
trop vite et à l'immense joie qu'ils m'ont apportée.
Avec tout mon amour,

D.S.

1

Annie Whittaker adorait tout ce qui avait un rapport avec Noël : le temps froid et clair, les arbres illuminés au milieu des pelouses voisines, les pères Noël en carton-pâte sur les toits des maisons, les chants de Noël, l'attente fébrile des cadeaux, le patin à glace l'après-midi, et puis l'onctueux chocolat chaud dégusté dans le salon où trônait le sapin richement décoré. Et si beau !... Sa mère la laissait l'admirer à loisir, avec ses yeux émerveillés de petite fille de cinq ans, à la lueur clignotante des guirlandes.

Elizabeth Whittaker avait eu Annie à l'âge de quarante et un ans. L'arrivée du nouveau-né avait mis toute la famille en émoi, car depuis longtemps Liz et son mari, John, avaient renoncé à la joie de donner la vie et avaient reporté tout leur amour sur leur fils unique. Et puis, Annie était née... Tommy, à l'époque, avait dix ans. « Un brave petit gars », ne cessait de répéter son père, fier comme Artaban des exploits sportifs de son fils ; Tommy jouait au football et au base-ball mais il excellait tout particulièrement au hockey sur glace et était devenu la star de son équipe... D'un caractère doux et obéissant, il était toujours dans les premiers de sa classe. Liz et John s'étaient habitués à l'idée de n'avoir qu'un enfant... Blond comme sa mère, aux yeux du même bleu lumineux que ceux de son père, réfléchi mais ne manquant pas de malice, Tommy possédait un sens de l'humour plutôt rare pour un garçon de son âge. Aussi le premier choc passé, parut-il s'adapter parfaitement à l'arrivée inattendue d'une petite sœur.

Annie faisait penser à un rayon de soleil. C'était une créature minuscule aux cheveux d'or fin, avec un large sourire irrésistible et un rire qui tintait comme une clochette d'argent chaque fois qu'elle se trouvait en compagnie de son grand frère. Tommy était son héros, dont elle attendait chaque jour impatiemment le retour de l'école.

De son côté, Liz avait demandé à bénéficier d'un mi-temps, ce qui lui permettait de profiter au maximum de son bébé. Elle s'en donnait à cœur joie : mère et fille ne se quittaient jamais. Dès que son poussin fut inscrit à la maternelle, Liz sauta sur l'occasion pour y assurer bénévolement les activités manuelles... Toutes deux passaient des heures entières dans la vaste et accueillante cuisine à faire cookies, pains et biscuits, après quoi Liz, munie d'un livre illustré, lisait un conte enchanteur à sa fille. Leur vie se déroulait comme dans un rêve, à l'écart de l'agitation de la ville, loin des dangers qui semblaient menacer les autres gens. Rien ne pouvait entamer leur félicité quand tous les quatre, enfin réunis au salon, éprouvaient un même, un immense sentiment de sécurité... John, qui dirigeait une des plus grosses chaînes de distribution de la région — héritée de son père et de son grand-père — veillait farouchement sur sa petite famille. Ils habitaient une ravissante villa au cœur d'un quartier résidentiel. Sans être riches, ils étaient à l'abri des vents glacés du changement qui touchaient les fermiers et les gens travaillant dans des branches souvent frappées par les bouleversements des modes et des tendances. Tout le monde avait besoin de produits de qualité et John Whittaker, qui approvisionnait les meilleurs restaurants de la ville, n'avait jamais déçu ses clients. Ceux-ci l'estimaient et appréciaient son caractère chaleureux et son exquise politesse. Secrètement, John espérait que Tommy reprendrait un jour à son tour l'affaire familiale. Mais auparavant, il désirait l'envoyer à l'université, de manière à ce qu'il acquière le bagage nécessaire à une carrière d'homme d'affaires... Annie avait décrété qu'elle voulait être professeur, « comme maman », tandis que son père penchait plutôt pour des études de médecine ou de droit... Un rêve audacieux en ce début des années cinquante, où l'éducation des filles se résumait en tout et pour tout en quelques cours d'arts ménagers dans un collège de luxe... Or, John avait toujours cru à la réalisation de ses rêves.

— On peut tout réussir, quand on le veut très fort, avait-il l'habitude de déclarer.

Lui-même travaillait d'arrache-pied. Il avait été heureux de la décision de Liz de ne plus enseigner qu'à mi-temps. Il aimait, en rentrant à la maison le soir, la trouver dans la chambre d'Annie, en train de lui raconter des histoires, ou de jouer à la poupée et contemplait avec amour ce charmant tableau familial. A quarante-neuf ans, John Whittaker se considérait comme un homme comblé par la chance. Il avait une femme sensationnelle et deux gosses formidables.

— Il y a quelqu'un ? cria-t-il cet après-midi-là, en pénétrant dans le paisible vestibule où il secoua la neige de son manteau et de son chapeau, tout en essayant d'échapper aux manifestations affectueuses de la chienne, un grand setter irlandais, qu'ils avaient baptisé Bess, comme l'épouse du président. Au début, ce prénom irrévérencieux à l'égard de Mme Truman avait rebuté Liz, puis elle avait fini par se ranger à l'opinion générale.

— Nous sommes là ! lança Liz d'une voix cristalline.

John passa au salon. Ses traits s'épanouirent à la vue de sa femme et de sa fille en train de décorer le sapin. Elles avaient suspendu un bonhomme de massepain à chaque branche, déployé des guirlandes serpentines qu'Annie avait minutieusement découpées dans du papier doré. Un parfum suave de cookies tout juste enfournés embaumait l'air.

— Bonsoir, papa. Il est beau, notre sapin, n'est-ce pas ?

— Magnifique, ma chérie ! s'exclama-t-il en prenant la fillette dans ses bras comme s'il s'était agi d'une plume.

John était un homme solide, dans la force de l'âge, qui tenait sa bonne mine de ses origines irlandaises. A près d'un an de la cinquantaine, sa chevelure brune ne comptait pas un seul cheveu blanc. Ses prunelles bleu clair, dont avaient hérité ses deux enfants, pétillaient. En dépit de sa blondeur, Liz avait des yeux bruns aux reflets noisette... Annie, quant à elle, arborait des bouclettes blondes comme les blés, presque blanches à la lumière. Elle frotta son petit nez contre la joue de son père qui, tout ému, se dit qu'elle ressemblait à un ange.

— Comment avez-vous passé votre journée ? s'enquit-il en se penchant pour embrasser sa femme.

Vingt-deux ans de mariage n'avaient en rien altéré leur amour. Ils avaient uni leurs destinées deux ans après que Liz eut obtenu son diplôme universitaire. Elle était entrée dans l'enseignement lorsqu'ils avaient songé à avoir des enfants... Il avait fallu près de sept ans pour que Tommy vienne au monde, au moment où ils avaient presque perdu espoir. Le vieux Dr Thomson, qui soignait Liz à l'époque, n'avait jamais pu déceler la cause de ses fausses couches. Elle en avait eu trois, avant que le miracle se produise : Tommy était né. Et, dix ans plus tard, le miracle s'était reproduit avec la naissance d'Annie. Le couple avait reçu avec gratitude ce nouveau don du ciel... A présent, plus rien ne pourrait entacher leur bonheur, ils en avaient l'absolue certitude.

— J'ai reçu une cargaison d'oranges de Floride, dit John en cherchant sa pipe. J'en rapporterai une caisse demain.

La maison sentait bon le pop-corn et le gingembre.

Annie tapa dans ses menottes potelées.

— Oh, j'adore les oranges.

Elle couvrit le visage de son père de baisers et Bess posa ses pattes sur les genoux de John, en quête de câlins, elle aussi... Liz offrit à son mari une chope de cidre chaud.

— Mmmm, je ne dis pas non, soupira-t-il, au comble de la félicité.

Ils avaient gagné la cuisine, quand la porte d'entrée claqua, livrant passage à un Tommy frigorifié, au nez rouge cerise, ses patins à glace à la main.

— Mince, ça sent bon ! s'exclama-t-il. Salut, m'man, salut, p'pa, salut petit bouchon ! Mon petit doigt m'a dit que tu as avalé tous les cookies de maman.

En embrassant sa sœur, il fit tomber une iridescente pluie de givre sur ses cheveux soyeux.

— D'abord, c'est *moi* qui ai fait les cookies, répliqua-t-elle dignement. Je n'en ai pas mangé plus de quatre.

La façon dont elle s'appliquait à articuler correctement chaque mot arracha des rires amusés à son frère et ses parents. Loin de s'en offusquer, la petite fille se laissa gagner par l'hilarité générale. Se sachant aimée, elle voulait à tout prix leur démontrer son amour en retour. Elle aimait leurs fous rires, les jeux dans la neige avec Tommy, les folles escapades en compagnie de Bess... Son regard clair, empreint d'une muette adoration, se fixa sur son frère.

— Irons-nous faire du patin à glace demain, Tommy ?

Le lac avait gelé et les enfants allaient patiner tous les samedis matin.

— Oui, à condition qu'il arrête de neiger. Sinon, tu ne verras pas plus loin que le bout de ton nez, répondit-il en mastiquant un des délicieux cookies que sa mère avait retirés du four.

John regarda sa femme qui ôtait son tablier. Son visage et sa taille fine avaient échappé aux outrages du temps. Dans son chemisier immaculé et son ample jupe de laine gris perle, elle évoquait la gracieuse lycéenne qu'il avait connue à l'école. Elle avait à peine quatorze ans, il en avait dix-sept. Au début, il avait eu du mal à admettre qu'un grand garçon comme lui ait pu tomber éperdument amoureux d'une gamine, une « junior ». Le temps qu'il en convienne, toute l'école était au courant de l'idylle et ses camarades le taquinaient sans merci. Son diplôme d'études secondaires en poche, il avait été embauché par son père. Il avait fallu encore sept ans à Liz pour terminer le lycée, puis l'université, avant de trouver un emploi de professeur... Sept longues années pendant lesquelles John l'avait attendue. Et il n'avait pas eu tort puisque, à présent, ils formaient la famille la plus unie et la plus heureuse de la terre !

— Je joue demain après-midi, signala Tommy, tout en engloutissant deux cookies croustillants.

— La veille du réveillon ? s'étonna sa mère. Oh, Tom, crois-tu que ce soit raisonnable ?

Ils ne rataient jamais un match de football ou de hockey sur glace. Liz s'y rendait pour faire plaisir à son fils. D'instinct, elle se méfiait de ces sports violents où à chaque instant les joueurs risquaient de se blesser, de se fouler une cheville, quand ils ne se cassaient pas une ou deux dents. Jusqu'alors, à part quelques bleus et un œil au beurre noir, Tommy s'en était sorti avec les honneurs.

John s'empressa de plaider la cause de son aîné.

— Liz, on n'enferme pas les garçons dans un cocon.

Au fond, il approuvait sa femme, sachant combien elle chérissait ses enfants.

— C'était ton dernier jour à l'école aujourd'hui ? voulut savoir Annie.

Tommy acquiesça avec un sourire qui en disait long. Il avait des projets mirifiques pour les vacances de Noël. Un surtout, qui avait pour nom Emily... Il ne l'avait pas perdue de vue depuis Thanksgiving. La jeune fille et ses parents avaient emménagé à Grinnel dans l'année. La mère exerçait la profession d'infirmière, le père était médecin. Ils venaient de Chicago et Emily était vraiment mignonne. Assez mignonne en tout cas, pour que

Tommy lui fasse l'honneur de l'inviter à ses parties de hockey. Maintenant, il comptait passer à l'étape suivante : l'emmener au cinéma la semaine prochaine, peut-être même oserait-il lui demander de l'accompagner à une surprise-partie pour le Nouvel An. Mais il n'avait pas encore eu le courage de mettre son plan à exécution... Cette petite futée d'Annie avait tout compris au sujet d'Emily. Un jour, alors qu'ils patinaient sur le lac, elle avait remarqué le manège de son grand frère qui ne quittait pas des yeux l'élue de son cœur, et qui, comme par inadvertance, était entré en collision avec Emily... Celle-ci sillonnait la piste entourée d'un groupe d'amis et d'une de ses sœurs... Tommy était fou d'elle, et Annie avait immédiatement compris la situation. Du reste, elle estimait qu'il n'avait pas tort. Emily possédait de longs cheveux noirs et brillants et patinait avec une grâce aérienne. En revanche, c'est à peine si elle avait daigné faire l'aumône d'une parole à Tommy.

— Veux-tu que je te dise ? décréta Annie du haut de ses cinq ans sur le chemin du retour. Elle le fait exprès. Au fond, tu lui plais.

— Ah oui ? Comment es-tu parvenue à cette brillante conclusion ? demanda-t-il d'un ton qu'il aurait voulu décontracté, ce qui était loin d'être le cas.

— Elle n'a pas cessé de te regarder avec des yeux de merlan frit, pendant que tu avais le dos tourné.

— Comment ça, des yeux de merlan frit ?

— Allons, tu sais très bien ce que je veux dire. Elle te faisait les yeux doux... Elle est amoureuse de toi ! Tu n'as pas remarqué comment elle a été gentille avec moi ? Alors qu'elle se fichait pas mal de sa petite sœur ! Tu lui as tapé dans l'œil, j'en suis sûre.

— Eh bien, eh bien, mademoiselle Whittaker, tu m'as l'air très avertie pour ton jeune âge.

— Tu l'aimes, toi aussi, hein ? avança Annie, d'un air taquin.

— Mêle-toi de tes affaires, d'accord ? lâcha le garçon d'un ton sévère dont sa cadette ne tint aucun compte.

— Sa grande sœur est encore plus jolie, à mon avis.

— Doux Jésus ! Une fille de terminale !

— Qu'est-ce qu'elles ont, les filles de terminale ?

— Elles ont dix-sept ans, voilà ce qu'elles ont.

Annie hocha la tête.

— Compris. Trop vieille pour toi. Emily correspond mieux à ton âge, je suppose.

— Je te remercie.

— De rien, répliqua-t-elle d'une voix sérieuse.

Ils étaient arrivés à la maison et s'étaient installés devant la rituelle tasse de chocolat chaud et crémeux, dans la cuisine. Pour rien au monde Annie n'aurait raté un seul de ces moments privilégiés. Elle adorait son frère et savait qu'il éprouvait une profonde affection à son égard. Souvent, il la prenait sur ses genoux pour lui faire la lecture d'un de ses contes préférés. Parfois, cédant à ses prières, il lui relisait de bon cœur la même histoire. Le soir, quand maman emmenait Annie au lit, Tommy restait avec leur père dans le salon et tous deux discutaient politique, un mot qui attisait furieusement la curiosité de la petite fille. Ils évoquaient la récente élection d'Eisenhower, puis énuméraient les changements qui ne manqueraient pas de se produire dans tous les domaines : l'agriculture, l'économie, les affaires... Une immense fierté submergeait Annie quand elle les entendait échanger leurs points de vue sur le monde. Père et fils accordaient une énorme importance aux valeurs traditionnelles : famille, enfants, liens sacrés du mariage, fidélité, honnêteté, solidarité entre membres d'une même communauté. Aux yeux de ses concitoyens, M. Whittaker passait pour un excellent père de famille doublé d'un employeur juste et éclairé.

Ce soir-là, Tommy sortit avec une bande d'amis. Il faisait si mauvais, qu'il n'osa pas demander à son père la voiture et rentra à pied avec un ami vers vingt-trois heures. Tommy ne donnait guère de fil à retordre à ses parents et son père n'avait jamais eu à le rappeler à l'ordre ; sauf une fois, quand il avait eu quinze ans, et qu'il était rentré éméché, après avoir bu plusieurs verres de bière. Ses parents lui avaient vite pardonné cet écart. Après tout, tous les adolescents commettaient ce genre de bêtises. John avait fait la même chose dans sa jeunesse, surtout à l'époque où Liz suivait encore ses études. Parfois, elle le taquinait à ce sujet, mais il jurait que, depuis, il s'était transformé en parangon de vertu, ce qui, invariablement faisait éclore une moue coquine sur les lèvres de Liz. En général, la scène se terminait par un baiser.

Le lendemain, en regardant par la fenêtre, ils découvrirent un somptueux paysage de carte postale. L'épaisse couche de neige, d'un blanc éclatant, scintillait sous un ciel bleu cobalt... De bon matin, Annie et Tom décidèrent de fabriquer un bonhomme de neige dans la cour. La petite fille avait enfilé la casquette de hockey de son frère. Lorsque celui-ci lui fit remarquer qu'il en aurait besoin pour le match de l'après-midi, elle rétorqua, l'air hautain, qu'elle voulait bien la lui prêter. En riant, il la fit tomber dans la neige avant de s'y écrouler à son tour. Etendus sur le dos, ils se mirent à remuer bras et jambes. Dans le langage d'Annie, ce jeu s'appelait « faire les anges »...

L'après-midi, la famille au complet assista au fameux match. Bien que son équipe perdît la partie, Tommy garda un moral d'acier... Il avait repéré Emily dans les gradins. Comme toujours, elle semblait régner sur une cour de soupirants. Elle était vêtue d'une jupe à carreaux sous une parka, portait des bottes fourrées et avait ramassé ses cheveux noirs en une opulente queue de cheval qui lui dégringolait dans le dos. Tommy alla lui dire bonjour, bien sûr, et peu après, sur le chemin de la maison, Annie déclara que l'idole de Tommy s'était sûrement mis du fond de teint.

Son frère la considéra, interloqué.

— Comment le sais-tu ?

— Parfois, je me sers de celui de maman.

John pouffa, tandis que Tommy ouvrait des yeux éberlués.

— Maman ne se maquille jamais ! s'écria-t-il.

— Mais si, mais si. Un peu de poudre, du fard à joues, du rouge à lèvres, même.

Tommy jeta un regard en biais à sa mère. Il la trouvait ravissante mais jamais l'idée qu'elle puisse user d'un artifice quelconque ne lui avait traversé l'esprit.

— Parfois, elle se met aussi du mascara sur les cils, poursuivit Annie, imperturbable, tandis que Liz s'esclaffait. Je l'ai essayé, mais ça fait pleurer.

— Tu as raison, trésor, sourit Liz. Voilà pourquoi je n'en mets presque jamais.

Le soir, Tommy ressortit avec ses copains. Une baby-sitter vint garder Annie, afin que ses parents puissent se rendre à une réception. Lorsqu'ils revinrent, vers vingt-deux heures, la fillette dormait à poings fermés. Elle était debout aux aurores...

C'était la veille de Noël. Tout excitée, Annie passa mentalement en revue la liste de cadeaux qu'elle avait adressée au père Noël... Elle désirait ardemment une superbe poupée qu'elle avait vue dans une vitrine, mais allait-elle l'obtenir ? Elle n'en était pas sûre... Elle avait également demandé une nouvelle luge et une bicyclette, bien que celle-ci eût mieux convenu à son anniversaire, au printemps.

La journée s'écoula en préparatifs divers. Liz s'activa durant toute la matinée devant ses fourneaux. Des amis devaient leur rendre visite le lendemain, dans l'après-midi, et elle tenait à ce que tout soit parfait pour les recevoir. Annie rêvait déjà à la messe de minuit. Ils y allaient tous les ans et elle avait gardé le souvenir de l'église bondée, saturée d'encens. Elle n'avait pas compris grand-chose à la liturgie mais s'était sentie bercée par un merveilleux sentiment de bien-être, tandis qu'elle écoutait les chants, serrée entre ses parents. Il y avait une jolie crèche avec tous les animaux autour de Joseph et de Marie. Et à minuit, le prêtre avait posé le

petit Jésus sur son lit de paille. Annie l'avait longuement contemplé.

— Ils sont comme toi et moi, hein, maman ? avait-
elle questionné en enlaçant sa mère.

— Oui, comme nous, avait murmuré Liz en
l'embrassant. Je t'aime, Annie.

— Je t'aime aussi, maman.

Elle assista au service religieux avec eux, comme tous
les ans. Il faisait chaud dans l'édifice éclairé par les
lueurs ambrées des bougies et la petite fille s'assoupit
presque aussitôt, blottie entre ses deux parents. Elle ne
sortit de sa douce torpeur que pour vérifier que le petit
Jésus était de nouveau là, comme les années précé-
dentes, à sa place. Un sourire fleurit sur ses lèvres
quand elle aperçut la petite statue polychrome et elle
serra la main de sa mère. Liz sentit les larmes lui piquer
les yeux. Annie était un véritable don du ciel. Un divin
présent qui leur avait été envoyé afin de les combler de
joie et de bonheur.

Il était une heure du matin passée quand ils regagnèrent leur domicile. Annie était déjà presque endormie
lorsqu'ils la mirent au lit. Quand Tommy alla l'embrasser, elle avait sombré dans un sommeil profond. Il lui
effleura le front d'un baiser... Elle était chaude, se dit-il
obscurément, puis il n'y pensa plus. Elle semblait si
calme, si paisible et si détendue.

Elle se réveilla tard, le matin de Noël. La veille en
rentrant de la messe, Liz avait mis en place l'assiette
contenant les carottes et le sel pour le renne, ainsi que le
gâteau destiné au père Noël. Pas encore bien réveillée,
Annie s'empressa pourtant d'aller vérifier que les plats
étaient vides, signe que le père Noël était passé. Une
vague migraine lui vrillait les tempes et elle s'en plaignit
à sa mère qui ne s'en inquiéta pas outre mesure. Sa fille
avait dû attraper un rhume en jouant dans la neige avec
Tommy, deux jours plus tôt se dit-elle. D'ailleurs, à
l'heure du déjeuner, Annie semblait tout à fait remise.
La poupée de ses rêves, toutes sortes de jouets ainsi que

la nouvelle luge l'attendaient devant la cheminée... Elle ressortit jouer dans la cour en compagnie de Tommy, revint une heure plus tard s'attabler devant une tasse de chocolat fumant, les joues rouges, débordante d'énergie.

— Eh bien, princesse, sourit son père en fumant sa nouvelle pipe de Hollande — cadeau de Liz, tout comme l'étagère sculptée où il avait rangé ses vieux calumets — es-tu contente du père Noël, cette année ?

— Ravie. Ma poupée est si jolie, papa.

Elle lui sourit. Annie ignorait totalement que c'était ses parents, et non le père Noël auquel elle croyait dur comme fer, qui lui offraient ses cadeaux. Certaines de ses amies prétendaient que le père Noël n'existait pas mais Annie ne les croyait pas. D'après Liz, le père Noël récompensait les enfants sages... les moins sages aussi, parfois, dans l'espoir qu'ils le deviennent. Pour Annie, bien sûr, le problème ne se posait pas. Sa gentillesse et sa douceur ne faisaient de doute pour personne.

Les amis arrivèrent comme prévu en début d'après-midi. Trois familles du voisinage et deux employés de John avec leurs femmes et leurs enfants. La demeure fut vite emplie d'éclats de rires joyeux. Tommy exhiba sa nouvelle canne à pêche à un groupe d'adolescents de son âge. Il avait hâte que le printemps fût là, rêvant aux poissons qu'il allait attraper.

Ce fut un paisible et chaleureux après-midi. Ils dînèrent tranquillement après le départ des invités : un délicieux potage au potiron, les restes du déjeuner, des desserts variés que leurs visiteurs avaient apportés.

— Je n'avalerai plus rien pendant un mois ! soupira John en s'étirant sur sa chaise.

Liz lui sourit quand, soudain, son regard tomba sur Annie. Son sourire s'effaça. La petite fille était affreusement pâle. Elle avait les yeux brillants, deux plaques incarnat lui coloraient bizarrement les pommettes...

— Annie, as-tu joué avec mon fard à joues ? s'enquit doucement Liz.

— Non... j'ai été dans la neige, puis je...

Elle laissa sa phrase en suspens, ses traits reflétant une confusion singulière.

— Tu ne te sens pas bien, ma chérie ? Tu es malade ?

Liz posa une main tendre et fraîche sur le front d'Annie. Il était brûlant.

— Oui, peut-être.

Soudain, elle semblait si petite, si délicate et fragile, que sa mère la prit dans ses bras. Il ne fallait pas être particulièrement calé en médecine pour se rendre compte que la fillette avait une grosse fièvre. Liz était légèrement alarmée, et elle envisagea d'appeler le médecin.

— Je déteste le déranger une nuit de Noël, murmura-t-elle pensivement.

Un vent glacé venant du nord soufflait au-dehors, signe que le temps n'allait pas s'arranger. Il se remettrait à neiger dru, avant demain matin.

— Elle ira mieux après une bonne nuit de sommeil, dit calmement John. Tout ce remue-ménage l'a fatiguée.

Il était d'une nature moins inquiète que Liz et en pensant à l'excitation de ces derniers jours, celle-ci conclut que son mari avait raison.

— Cela te dit, ma chérie, d'aller au lit sur les épaules de papa ?

La fillette acquiesça avec un sourire, mais quand John voulut la soulever, un cri aigu lui échappa. Elle avait mal au cou, se plaignit-elle.

— Qu'est-ce que ça peut-être ? questionna Liz, quand son mari sortit de la chambre d'Annie.

— Elle a pris froid, répondit-il en tapotant gentiment l'épaule de sa femme. (Il ne connaissait que trop bien sa phobie de la poliomyélite et de la tuberculose.) Elle fait un peu de température, voilà tout. Elle ira mieux demain. Je te le promets.

Elle alla embrasser à son tour la petite fille et se sentit plus calme quand elle la vit. Ses yeux brillaient toujours, elle avait chaud, mais elle semblait moins pâle. John avait raison. Les préparatifs des fêtes l'avaient épuisée. Elle avait pris froid. Une grippe, tout au plus.

— Dors bien, ma chérie. N'hésite pas à nous appeler si quelque chose ne va pas... Je t'aime beaucoup, beaucoup, mon trésor. Papa et moi te remercions pour tes jolis cadeaux.

Elle avait peint un tableau pour Liz, façonné un cendrier pour John. Annie ferma les yeux et s'endormit avant que sa mère ne quitte la pièce.

Liz fit la vaisselle avant d'aller jeter un coup d'œil à sa fille pour s'assurer que tout allait bien. Mais la température avait monté et Annie remuait faiblement dans son sommeil. Un léger gémissement lui échappa quand sa mère la toucha, et pourtant elle ne se réveilla pas. Il était dix heures du soir. Liz décida qu'il valait mieux appeler le médecin.

— Annie a de la fièvre, Walt... Elle avait trente-huit et demi, quand elle s'est couchée. Je n'ai pas voulu la réveiller pour lui reprendre sa température.

Elle mentionna la raideur de la nuque, les douleurs dans les os, symptômes habituels de la grippe.

— John dit que toute cette fête de Noël l'a beaucoup excitée et qu'elle a sans doute attrapé froid.

— Si la fièvre ne tombe pas, je viendrai la voir demain matin, Liz. Passez-moi un coup de fil dès qu'elle se réveillera... Il y a eu une demi-douzaine de cas analogues cette semaine. Des sortes de refroidissements accompagnés d'accès de fièvre... Cela ne dure pas longtemps, ne vous inquiétez pas.

— Merci, Walt.

Walter Stone, leur médecin de famille, avant la naissance de Tommy, comptait également parmi leurs meilleurs amis. Liz raccrocha, soulagée. Elle s'était sentie rassurée dès l'instant où elle avait entendu sa voix. Il avait probablement raison. Ce n'était rien. Rien de grave.

Elle resta un long moment au salon avec John,

évoquant leurs amis, leur vie, leurs enfants, la chance qu'ils avaient eue de se rencontrer, les années qui s'étaient écoulées presque sans qu'ils s'en aperçoivent.

Liz retourna dans la chambre d'Annie peu après. La fièvre n'avait pas augmenté et la petite fille semblait moins agitée. Elle était étendue, immobile et respirait régulièrement. Bess, la chienne, dormait au pied du petit lit. Ni l'une ni l'autre ne bougèrent quand Liz sortit sur la pointe des pieds pour gagner sa propre chambre.

— Comment va-t-elle ? s'enquit John en se glissant entre les draps.

— Mieux, je crois, sourit-elle. Je sais, je m'inquiète trop. Mais c'est plus fort que moi.

— Voilà pourquoi je t'aime tant. Tu prends soin de nous tous. Je ne cesse pas de me répéter que je suis le type le plus chanceux du monde.

— Seulement malin, dit-elle en riant. Sinon tu n'aurais pas jeté ton dévolu sur moi, alors que je n'avais que quatorze ans.

Il était le seul homme qu'elle avait jamais connu. Au terme de vingt-deux années de vie commune, son amour pour John s'était mué en véritable passion.

— Tu as conservé ton allure de jeune fille, tu sais, murmura-t-il en l'attirant tendrement à lui.

Elle se laissa entraîner dans une douce langueur, tandis qu'il dégrafait les boutons de son corsage, avant de la débarrasser de la jupe de velours qu'elle avait mise pour Noël.

— Je t'aime, Liz, lui chuchota-t-il au creux de l'oreille, tout en promenant ses mains sur ses épaules nues et ses seins accueillants et en cherchant ses lèvres.

Leur étreinte fut longue et ardente. Leur amour était aussi fort qu'au premier jour. La dernière pensée de Liz fut pour lui. Lové contre son dos, il l'enserrait de ses bras, le visage enfoui dans ses longs cheveux blonds. Leurs corps enlacés ne faisaient qu'un et, dans le silence de la nuit, ils s'endormirent, apaisés.

Le premier geste de Liz, en se réveillant, fut d'aller voir Annie. Elle avait enfilé son peignoir dont elle avait serré la ceinture. En entrant dans la chambre de l'enfant, elle marqua un temps d'arrêt... Elle était là, endormie. Calme, trop calme. En s'approchant, Liz étouffa un cri : d'une pâleur de cire, Annie respirait à peine. Le cœur de Liz se serra affreusement et elle se précipita pour toucher l'enfant qui émit un gémissement ténu. Mais sa mère eut beau la secouer, elle n'ouvrit pas les yeux. Elle ne s'éveilla pas non plus quand Liz commença à hurler son nom.

Tommy apparut sur le seuil de la porte, encore en pyjama, les cheveux ébouriffés, les yeux bouffis de sommeil.

— Maman, qu'y a-t-il ?

— Je ne sais pas. Dis à papa d'appeler le Dr Stone. Je n'arrive pas à réveiller Annie.

Des larmes avaient jailli de ses yeux. Liz posa sa joue mouillée contre celle, brûlante, de sa fille. La fièvre avait augmenté de façon considérable et l'enfant, bouillante, gisait sur sa couche, inconsciente. Liz n'osa pas l'abandonner pour aller chercher le thermomètre dans la salle de bains.

— Vite ! cria-t-elle à l'adresse de Tommy, qui était parti en courant.

Elle essaya de soulever Annie, de la faire asseoir : le petit corps fut parcouru d'un frisson, mais les paupières restèrent closes.

— S'il te plaît, mon bébé... Allez, ouvre les yeux... je t'aime... Annie, je t'en supplie.

Elle sanglotait quand John fit irruption dans la chambre, Tommy sur ses talons.

— Walt arrive. Que se passe-t-il ?

Une expression de frayeur altérait ses traits. Tommy s'était mis à pleurer doucement sur l'épaule de son père.

— Je ne sais pas. Elle est consumée par la fièvre. Je n'arrive pas à la réveiller... oh mon Dieu ! John, s'il te plaît.

Secouée de sanglots, Liz s'assit sur le bord du lit et se mit à bercer sa petite fille, mais Annie n'eut aucune réaction ; elle gisait inanimée entre les bras de sa mère, sous le regard épouvanté de son père et de son frère.

— Elle s'en remettra. Les enfants font souvent de grosses fièvres et deux heures plus tard, ils se portent comme des charmes. Tu le sais, dit John, en s'efforçant de surmonter sa propre panique.

— Ne me dis pas ce que je dois savoir ! Tout ce que je sais, c'est qu'elle est très malade ! répondit Liz, furieuse.

— Walt a dit qu'il faudra peut-être l'hospitaliser... Ecoute, pourquoi ne vas-tu pas t'habiller ? suggéra John d'une voix douce. Je veillerai sur elle.

— Il est hors de question que je la laisse, répliqua Liz d'un ton farouche.

Elle avait recouché l'enfant et lui caressait les cheveux.

Terrifié, Tommy regarda sa sœur : elle était si blanche qu'on l'aurait dite morte. Il avait du mal à croire qu'elle puisse se réveiller d'un instant à l'autre, et se mettre à bavarder et à rire, mais il le souhaitait de tout son cœur.

— Comment a-t-elle pu tomber malade aussi vite ? Elle avait pourtant l'air d'aller bien hier soir, murmura-t-il.

— Elle était un peu souffrante, mais j'ai cru que c'était un malaise passager, dit Liz, en lançant à John un regard empreint de reproches. J'aurais dû faire venir Walt hier soir. J'aurais dû insister.

Elle avait honte à présent d'avoir fait l'amour, alors que sa petite fille chérie gisait inconsciente dans la chambre d'à côté.

— Tu ne pouvais pas savoir, la rassura John.

Mais elle ne répondit pas.

Le carillon de l'entrée annonça l'arrivée du praticien et John se précipita pour aller l'accueillir. Un froid intense lui fouetta le visage lorsqu'il ouvrit la porte :

les flocons de neige tourbillonnaient follement dans l'air glacial.

— Que se passe-t-il ? questionna le docteur, tandis qu'ils gagnaient rapidement la chambre d'Annie.

— La fièvre a beaucoup monté. On n'arrive pas à la réveiller, répondit John alors qu'ils entraient dans la pièce. Le Dr Stone ne perdit pas de temps en salutations inutiles, et se rendit directement au chevet de l'enfant. Ses mains tâtèrent la nuque de la fillette sans parvenir à lui faire bouger la tête. Il souleva ses paupières pour examiner les pupilles, avant d'ausculter sa poitrine et de vérifier ses réflexes, dans un silence total. Enfin, il se tourna vers la famille avec, sur le visage, une expression peinée.

— Je vais l'emmener à l'hôpital. Il faut lui faire subir un prélèvement du liquide céphalo-rachidien. Je crains qu'elle n'ait une méningite.

— Oh, mon Dieu, murmura Liz. (Elle ignorait les implications exactes de ce diagnostic.) Va-t-elle s'en sortir ?

Elle s'était agrippée au bras de John, tandis que Tommy pleurait doucement, le regard fixé sur sa petite sœur qu'il adorait. L'estomac noué, la gorge sèche, Liz attendait la réponse du médecin. C'était un ami de longue date et pourtant, maintenant, il lui faisait l'effet d'un ennemi, une sorte de mauvais génie qui tiendrait la vie d'Annie entre ses pattes griffues.

— Je n'en sais rien, répondit-il avec franchise. Elle est très gravement malade. Il faut tout de suite l'emmener aux urgences. L'un de vous peut m'accompagner ?

— Nous venons tous les deux ! déclara John d'une voix ferme. Laissez-nous juste une minute pour nous préparer. Tom, reste avec le docteur et Annie, veux-tu ?

— Papa, je... voudrais venir, s'étrangla le jeune garçon. Je tiens à accompagner Annie, moi aussi.

Sur le point d'émettre une objection, John finit par hocher la tête. Il ne comprenait que trop bien les sentiments de Tommy. Il savait ce qu'Annie signifiait pour lui. Pour eux. Il ne s'en remettrait pas si elle disparaissait.

— Alors, cours mettre quelque chose. Nous serons prêts dans une minute, Walt.

Dans leur chambre, Liz s'habillait avec fébrilité, saisissant au hasard ce qui lui tombait sous la main : une vieille jupe, un sweater, une paire de bottes. Comme un automate, elle se passa un peigne dans les cheveux, attrapa son sac et se précipita dans la chambre d'Annie.

— Comment va-t-elle ? souffla-t-elle.

— Il n'y a pas de changement, répondit tranquillement le praticien.

Il n'avait pas cessé de veiller sa petite patiente, elle avait une tension affreusement basse ; un pouls très faible et paraissait s'enfoncer de plus en plus dans le coma... Il fallait la transporter très rapidement à l'hôpital et tenter tout ce qui était possible pour la sauver, même si l'on ne pouvait pas faire grand-chose contre la méningite.

John apparut habillé n'importe comment, suivi de Tommy vêtu de sa tenue de hockey : c'était le premier vêtement qu'il avait trouvé dans son armoire.

— Allons-y ! fit John en sortant Annie de son lit et en l'emmitouflant dans deux lourdes couvertures d'où seule sa petite tête dépassait.

Rapidement, ils montèrent dans la voiture du médecin. John se glissa sur la banquette arrière serrant la petite malade contre son cœur, Liz près de lui. Tommy prit place à côté du conducteur, qui démarra en trombe. La petite fille fut parcourue d'un long frisson, puis elle ne bougea plus. Le trajet s'effectua dans un silence pesant. Liz ne pouvait quitter du regard la petite figure blême et écartait de la main les mèches blondes du front bouillant. Ses lèvres frôlèrent une ou deux fois la joue desséchée et à chaque baiser elle fut transpercée par une horrible sensation de brûlure.

John transporta sa fille dans la salle de réanimation où une infirmière attendait. Walt avait appelé l'hôpital avant qu'ils ne quittent la maison. Liz pressait la main d'Annie entre les siennes alors que l'on pratiquait le prélèvement prescrit par le Dr Stone. On l'avait priée d'attendre à l'extérieur mais elle avait refusé d'un ton féroce, ne voulant pas abandonner sa fille.

Les infirmières avaient échangé un regard, le docteur avait hoché la tête.

Vers la fin de l'après-midi, ils eurent le résultat de l'analyse : méningite. La fièvre culminait à plus de quarante degrés et tout effort pour la faire diminuer s'était révélé vain. Etendue sur son lit d'hôpital, qu'un rideau isolait des autres malades, dans le pavillon des enfants, son frère et ses parents à son chevet, Annie demeurait inerte. De temps à autre, un gémissement lui échappait mais ses yeux restaient fermés. Lorsque le médecin revint l'examiner, sa nuque présentait une raideur complète. Il savait qu'elle ne pourrait vivre encore longtemps, à moins d'une soudaine baisse de température, d'une subite reprise de conscience. Rien ne pouvait la ramener à la vie, ni combattre le mal qui la rongeait. Elle était entre les mains de Dieu... Ils l'avaient reçue, tel un don du ciel, cinq ans et demi auparavant. Et maintenant, ils ne pouvaient rien faire pour ralentir la marche du destin : ils ne pouvaient que prier et espérer ; la supplier de ne pas les quitter. Mais elle n'entendait rien, ne sentait rien, ne réagissait pas aux caresses et aux baisers de sa mère sur sa petite main brûlante. John et Tommy tenaient son autre main à tour de rôle, sortant de temps en temps dans le couloir pour laisser libre cours à leur chagrin. Ils n'avaient jamais éprouvé une telle détresse... Seule Liz restait à son côté, refusant de quitter la pièce, redoutant de perdre l'ultime bataille si elle s'éloignait.

— Nous t'aimons tant, mon bébé... nous t'aimons tous tant... Papa, Tommy, et moi... réveille-toi, ma chérie, tu dois ouvrir les yeux... Fais un petit effort, mon amour, ouvre les yeux... Après, tu guériras... Après, tout ira bien... On ne va pas laisser cette vilaine maladie prendre le dessus, d'accord ? Allez, bébé, s'il te plaît... s'il te plaît... s'il te plaît...

Elle n'avait pas cessé de lui parler, se refusant à la quitter ne serait-ce qu'une seconde. Enfin, elle accepta une chaise sur laquelle elle s'effondra, sans lâcher la main de sa fille. John avait dû sortir, ne pouvant plus supporter cet affreux spectacle, et les infirmières avaient conduit Tommy dans le hall où il put sangloter sans retenue.

Une heure s'était écoulée depuis que Liz était seule dans la petite chambre blanche, quand Annie émit un faible soupir. Ses cils frémirent. L'espace d'une seconde elle parut sur le point d'ouvrir les yeux mais n'en fit rien. Sa menotte serra doucement les doigts de sa mère. Puis, comme si elle se réveillait d'un long sommeil, elle souleva les paupières, et fixa son regard sur le visage de Liz.

— Annie ? fit celle-ci dans un murmure, en faisant signe à John, qui se tenait près de la porte, de se rapprocher. Bonjour, bébé... papa et moi sommes là et nous t'aimons très fort.

Son père se tenait à son chevet et de l'autre côté du lit, sa mère la contemplait avec amour. La petite fille ne parvenait pas à tourner la tête, mais ses yeux se reportèrent de l'un à l'autre, l'air ensommeillé. Un instant, ses paupières s'alourdirent pour se rouvrir presque aussitôt. Puis, elle sourit.

— Je vous aime, dit-elle d'une voix indistincte... Tommy ?

— Il est là, aussi.

Les larmes avaient creusé un sillon brillant sur les joues de Liz, tandis qu'elle embrassait Annie. John pleurait, lui aussi, ouvertement, sans fausse honte. Ils l'aimaient tellement ! Il aurait donné sa vie contre la sienne.

— ... aime Tommy... vous aime... chuchota Annie.

De nouveau elle sourit, plus belle que jamais, avec ses grands yeux bleus et le halo étincelant de sa chevelure autour de sa petite figure si éclatante d'amour. Elle leur souriait, comme si elle connaissait un secret qu'ils ignoraient. Tommy entra dans la chambre, et voyant sa sœur lui sourire, il se mit à pleurer de soulagement, persuadé qu'elle allait mieux, qu'elle allait guérir. Alors dans un chuchotement à peine audible, Annie murmura : « Merci ».

Elle se rendormit aussitôt, épuisée comme après un grand effort. Liz, debout à côté de sa fille, demeura silencieuse. Elle avait la sensation que quelque chose n'allait pas. Obscurément, elle devinait que, contrairement aux apparences, l'état d'Annie avait empiré. Elle la sentait presque glisser vers l'autre rive. Le ciel s'apprêtait à reprendre le cadeau qu'il leur avait fait... Elle se laissa à nouveau tomber sur la chaise en étreignant la petite main sèche et brûlante.

John ne tenait plus en place et était sorti dans le couloir rejoindre son fils qui sommeillait dans un fauteuil. Quant à Liz, elle fixait toujours le petit visage livide et il était près de minuit quand Annie les quitta.

Elle n'avait pas rouvert les yeux ; ne s'était plus réveillée. Elle avait simplement énoncé son message avant de s'en aller :

Je vous aime. Puis, *merci...* Merci pour ces cinq ans et demi de bonheur que vous m'avez donnés.

— Je t'aime, murmura Liz pour la centième fois, alors qu'un ultime souffle expirait sur les lèvres blanches de sa petite fille.

C'était fini. L'enfant s'était envolée rejoindre les anges. Leur cadeau leur avait été repris. Annie Whittaker n'était plus qu'un esprit. Pendant ce temps, son frère dormait dans le hall de l'hôpital et rêvait d'elle. Il se rappelait qu'à peine deux jours plus tôt, ils jouaient dans la neige, à être des anges...

2

Les obsèques ne furent qu'une longue agonie, semblable à ces cauchemars qui hantent les nuits de toute mère. Le service funèbre eut lieu deux jours avant le réveillon du Nouvel An. Une foule consternée se tenait dans la petite église : parents, enfants, amis, les associés et employés de John, les institutrices du jardin d'enfants, les collègues de Liz. Walter Stone était là lui aussi, rongé par le remords. Il leur avoua en aparté qu'il se désolait de n'être pas accouru la nuit où Liz lui avait téléphoné. Il avait conclu à un mauvais rhume, une grippe tout au plus, et regrettait amèrement ce diagnostic formulé trop à la légère. Il admit aussi que, même s'il s'était rendu au chevet de l'enfant sur-le-champ, il n'aurait pu être d'une grande utilité. La médecine n'avait pas encore fait assez de progrès en ce qui concernait la méningite. Les chances de guérison chez les enfants en bas âge atteints de cette maladie étaient pratiquement nulles. Liz et John avaient gentiment rassuré le praticien. Personne n'était fautif. Pourtant, Liz ne pouvait s'empêcher de se répéter que si elle avait insisté auprès du médecin pour qu'il se déplace, ce soir horrible où les symptômes avaient fait leur apparition, le drame aurait pu, malgré tout, être évité. De son côté, John s'en voulait d'avoir dit à sa femme que ce n'était probablement rien de grave. Tous deux, d'ailleurs, se blâmaient d'avoir fait l'amour, alors que leur fille sombrait lentement dans le coma. Tommy se sentait coupable, lui aussi... Quand il avait embrassé sa sœur, la veille de Noël, elle lui avait paru étrangement chaude. Mais il n'avait pas su faire la différence...

Dans son oraison, le prêtre rappela qu'Annie représentait un don du ciel, un petit ange que Dieu leur avait envoyé pour un temps, hélas trop bref, afin de leur donner une leçon d'amour. Et elle avait accompli sa mission. Tous les assistants se remémoraient parfaitement son sourire lumineux, ses grands yeux bleus, son petit visage rayonnant qui incitait chacun à l'aimer... Ils l'avaient adorée. Et tous se demandaient comment serait la vie sans sa présence radieuse. Pour tous sans exception, cette mort prenait l'allure d'une punition, qu'on leur avait infligée pour leurs péchés et à chacun, elle rappelait qu'à tout instant, on peut perdre ce que l'on chérit le plus au monde La perte d'un enfant se prolongeait par la perte de l'espérance, de la foi en la vie et en l'avenir... Il n'y avait pas d'êtres plus seuls que Liz, John et Tommy Whittaker, en cette glaciale matinée de décembre. Tous trois se tenaient serrés côte à côte devant la petite fosse dans laquelle reposait le minuscule cercueil fleuri.

— Je ne peux pas, murmura Liz d'une voix étranglée. Je ne peux pas la laisser ici.

John entoura avec tendresse ses épaules secouées de sanglots, et l'entraîna à l'écart.

— Elle n'est pas ici, Liz. Elle est partie. Elle ne souffre plus maintenant... Elle va bien.

— Non, elle ne va pas bien. Elle est à moi. Je la veux. Je veux qu'on me rende mon bébé, hoqueta-t-elle, tandis que leurs amis s'éloignaient discrètement.

Il n'y avait rien à dire. Aucune parole ne pouvait adoucir une peine aussi immense.

Tommy se tenait debout, solitaire, sous les arbres nus du cimetière, grelottant.

— Tu tiens le coup, fiston ? lui demanda son entraîneur de hockey, les yeux embués de larmes.

Le garçon commença par hocher la tête, puis dans un élan de détresse sans pareille, il se blottit dans les bras de l'homme trapu, en versant un torrent de larmes.

— Je sais... je sais ce que tu ressens... murmura ce dernier en lui tapotant le dos. J'ai perdu ma sœur quand j'avais vingt et un ans. Elle en avait quinze... C'est affreux. On n'oublie jamais. Accroche-toi à tes souvenirs, fiston. Là où elle est, elle n'aimerait pas te voir pleurer. Parle-lui de temps en temps. Elle t'entendra... Tu ne la perdras jamais vraiment.

Tommy regarda son entraîneur, interloqué. Il n'avait pas l'habitude de l'entendre parler de cette façon, avec autant de gentillesse, une telle compréhension. Puis il hocha la tête. Son père avait enfin réussi à éloigner sa mère de la tombe. Elle semblait au bord de l'évanouissement. Le visage de John était gris. Ils s'engouffrèrent tous les trois dans la voiture et reprirent le chemin de la maison sans un mot.

Les visites de condoléances se succédèrent tout l'après-midi. Certains se contentèrent de poser une gerbe de fleurs sur les marches du perron avant de s'éloigner rapidement, comme si la tragédie qui avait dévasté la vie des Whittaker pouvait être contagieuse.

Assis au salon, épuisés, Liz et John s'efforçaient d'accueillir leurs relations et amis. Ils furent presque soulagés quand, tard dans la nuit, ils purent fermer leur porte et cesser de répondre au téléphone. Pendant ce temps, Tommy était resté invisible. Calfeutré dans sa chambre, il donnait libre cours à sa douleur. Une ou deux fois, il était sorti dans le couloir, et à chaque fois, la vue de la chambre d'Annie lui arrachait de nouvelles larmes. Enfin, prenant son courage à deux mains, il ferma la porte de la petite pièce où seulement deux jours auparavant, Annie gisait, mortellement pâle, sur son petit lit blanc... Soudain, il se rendit compte qu'il était incapable de se rappeler sa jolie petite frimousse quand elle allait bien... Le masque mortuaire aux narines pincées, aux lèvres bleuâtres, s'était à jamais gravé dans son esprit... Et ces mots, qu'elle avait prononcés juste avant de mourir... Je vous aime... Merci... Bon sang, pourquoi était-elle morte ? Que s'était-il passé ? Pourquoi la mort ne l'avait-elle pas choisi, lui ?

Tommy ne dit à personne ce qu'il ressentait, ne fit pas part des interrogations qui le tourmentaient. Il garda le silence. Exactement comme ses parents qui n'échangèrent pas une parole pendant toute la semaine, ne sortant de leur mutisme que pour répondre au téléphone ou accueillir des amis. Tous trois laissèrent passer le réveillon et le Jour de l'An sans sortir de leur gangue de tristesse, sans même s'embrasser... Deux jours plus tard, Tommy retourna à l'école. En classe, personne ne lui adressa un mot de condoléances. Tous étaient au courant du drame qui avait touché leur camarade, mais gênés, ils firent comme si de rien n'était, préférant aborder des sujets moins pénibles. Son entraîneur le traita avec la même sympathie qu'auparavant, sans plus mentionner sa propre sœur ou Annie. Personne ne parla à Tommy de la mort de sa sœur, et chacun jeta un voile pudique sur son chagrin. Et Tommy se replia sur lui-même, car il n'avait personne avec qui partager sa peine. Emily elle-même, l'Emily qu'il aimait tant, le faisait souffrir, car il avait parlé d'elle avec Annie. Tout lui rappelait ce qu'il avait perdu, d'une façon insupportable. Il détestait cette douleur constante qui l'élançait comme une plaie à vif ; il haïssait la pitié qu'il lisait dans le regard de ses camarades... Dévoré par la douleur, Tommy avait la sensation d'être devenu un étranger pour ceux qui l'entouraient. Il se sentait indésirable. Il avait l'impression que ses camarades de classe le fuyaient, le rejetaient. Et il resta seul dans son coin. Et ses parents firent de même.

Quand le flot de visites se tarit, ils cessèrent de voir leurs amis... Ils cessèrent presque de se voir l'un l'autre. Depuis la disparition d'Annie, Tommy n'avait pris aucun repas avec eux. Il ne supportait plus de s'asseoir à la table de la cuisine où, tant de fois, il avait bu du chocolat fumant et crémeux avec Annie. Retrouver la maison vide sans pouvoir partager avec sa petite sœur leurs chers cookies fut bientôt au-dessus de ses forces... Après les cours, il se réfugiait dans la salle de gymnastique où il s'entraînait jusqu'à l'épuisement. Il se mit à rentrer le plus tard possible, pour avaler rapidement le dîner que sa mère lui avait laissé dans le four. La plupart du temps, il grignotait un morceau debout, sur le bord de la table, avant de jeter les restes du repas à la poubelle. Souvent, il se passait de dîner, se contentant de quelques gâteaux secs qu'il avalait avec un verre de lait, dans sa chambre.

Sa mère semblait ne plus se nourrir du tout ; quant à son père, il sortait de plus en plus tard de son travail. Lui aussi avait perdu l'appétit. Les repas en famille appartenaient désormais au passé. Chacun évitait soigneusement de s'asseoir à table, comme si dîner ensemble pouvait rendre l'absence de la petite Annie encore plus cruelle. Aussi se mirent-ils à se fuir les uns et les autres et à se fuir eux-mêmes.

Chaque chose était encore imprégnée du parfum d'Annie, tout leur rappelait sa présence, éveillant encore et encore la douleur de l'avoir perdue à jamais.

L'entraîneur de Tommy avait commencé à s'inquiéter pour lui et l'un de ses professeurs mentionna le cas Whittaker un peu avant les vacances de printemps. Pour la première fois de sa scolarité, ses notes n'avaient cessé de chuter, mais le garçon s'en moquait éperdument. Rien n'avait d'importance à présent. Sans Annie, plus rien ne comptait.

— Le jeune Whittaker est dans une mauvaise passe, fit remarquer la responsable des travaux pratiques au professeur de mathématiques, alors qu'elles étaient attablées à la cafétéria.

— On le serait à moins, répondit le prof de maths d'une voix emplie de compassion. (Elle avait elle-même

des enfants et le deuil qui avait frappé la famille de
Tommy l'avait bouleversée). Où en est-il ? En train de
rater ses examens, je suppose ?

— Pas encore, mais cela ne saurait tarder. Il était l'un
des meilleurs éléments de sa classe. Ses parents sont très
pointilleux en matière d'éducation. Son père a même
évoqué la possibilité de l'inscrire dans une université
prestigieuse, à Harvard ou à Yale, au cas où il continue-
rait à obtenir des notes élevées... ce qui n'est plus le cas,
malheureusement.

— Il a encore le temps de se reprendre. Cela ne fait
que trois mois... Donnons à ce gosse une seconde
chance... Si à la fin de l'année il ne s'est pas amélioré,
nous pourrions convoquer ses parents.

— Je déteste le voir s'enliser dans l'échec.

— Peut-être ne peut-il pas faire autrement. Peut-être
est-ce là sa façon de survivre. De se battre. Il y a des
choses plus importantes dans la vie qu'un carnet de
notes impeccable. Laissons-lui le temps de trouver un
second souffle et de recouvrer son équilibre.

— Ça va faire trois mois, rappela l'autre professeur.

Le mois de mars touchait à sa fin. Eisenhower
occupait la Maison Blanche depuis deux mois, le vaccin
de la polio avait été testé avec succès. Le monde évoluait
rapidement, mais pas Tommy Whittaker. Sa vie s'était
arrêtée en même temps que celle d'Annie.

— Je crois qu'une existence entière ne me suffirait
pas pour oublier, si ç'avait été mon enfant, murmura le
prof de maths.

— Je comprends.

Les deux femmes restèrent silencieuses un instant,
chacune songeant à sa propre famille. A la fin du repas,
elles étaient tombées d'accord sur la marche à suivre.
Elles laisseraient Tom Whittaker suivre la mauvaise
pente encore un moment sans lui faire de remarques,
puis, elles aviseraient. Tout le monde avait remarqué sa
nouvelle attitude. Plus rien ne retenait son attention,
pas même le sport. Il avait décidé de ne pas participer

aux matches de basket-ball et de base-ball, ce printemps, en dépit des injonctions de son entraîneur. Chez
lui, sa chambre était devenue un véritable capharnaüm.
Et il ne s'entendait plus avec ses parents...

D'après la rumeur, M. et Mme Whittaker étaient à
couteaux tirés. De fréquentes disputes éclataient entre
eux pour un rien. La moindre petite faute prenait des
proportions énormes et chacun en rejetait le blâme sur
l'autre. « Tu n'as pas mis d'essence dans la voiture, tu
n'as pas sorti la poubelle, tu as oublié de promener le
chien. » Chèques, factures, emplettes, courrier, tout
était source de bagarre. Son père n'était quasiment plus
jamais à la maison. Sa mère avait perdu le sourire.
Aucun d'eux ne songeait plus à dire un mot gentil à
l'autre. Ils n'avaient même plus l'air tristes... seulement
furieux. Furieux l'un contre l'autre, contre le monde
entier, la vie, le destin cruel qui leur avait arraché Annie
si brutalement. Evidemment, ni l'un ni l'autre ne
l'admettaient. Simplement ils passaient leur vie à hurler, se plaignant de tout, jusqu'à leur facture d'électri-
cité trop élevée à leur goût.

Tommy faisait tout pour les éviter : il traînait dans le
jardin le plus tard possible, passant une partie de la soirée
dans l'arrière-cour. Il s'était mis à fumer. Souvent, assis
sur les marches de l'entrée de service, sous une pluie
tenace, il buvait de la bière et fumait des Camel... Ces
gestes lui donnaient l'illusion d'être adulte... Si Annie le
voyait ! Comme elle serait choquée ! Cette pensée faisait
éclore un pâle sourire sur ses lèvres. De toute façon, il
n'avait pas le choix. Ses parents se souciaient comme
d'une guigne de ses faits et gestes. Par ailleurs, il avait
seize ans maintenant... Un grand garçon.

— Je me fiche que tu aies seize ans, Maribeth
Robertson, hurla son père, une nuit de mars à Onawa,
au fin fond de l'Iowa, à quelque deux cent cinquante
miles de l'endroit où Tommy sirotait sa énième bière,

affalé sur les marches de la maison de ses parents tandis que les rafales de vent dévastaient les parterres de fleurs de sa mère... Il est hors de question que tu mettes le nez dehors dans cette tenue, avec du maquillage plein la figure. Va te débarbouiller et enlève-moi cette robe.

— Mais, papa, je vais au bal, pas à l'église. Toutes les filles seront maquillées et porteront des robes de soirée.

La créature que son frère aîné avait accompagnée au bal de l'école, deux ans plus tôt arborait une tenue bien plus osée, mille fois plus provocante, mais leur père n'avait pas soufflé mot. Evidemment, il s'agissait de la petite amie de Ryan, ce qui changeait tout. Ryan pouvait tout se permettre. C'était un garçon, lui. Alors que Maribeth n'était qu'une fille.

— Si tu tiens à sortir, tu mets une robe convenable. Sinon, tu restes ici à écouter la radio avec ta mère.

Rester à la maison semblait tentant, mais en même temps, le bal de fin d'année n'avait pas lieu tous les jours. Pourtant, Maribeth hésitait à y aller vêtue comme une nonne. Elle avait passé des mois à rêver de cette sortie. Pour la circonstance elle avait emprunté la robe de la grande sœur d'une de ses amies. Un joli modèle en taffetas vert paon, avec des chaussures assorties, qui lui faisaient terriblement mal aux pieds parce qu'elles étaient bien trop petites pour elle, mais l'ensemble en valait la peine. La robe, dépourvue de bretelles, s'agrémentait d'un minuscule boléro. Evidemment, le décolleté en forme de V dévoilait une partie de ses seins épanouis et c'était à cause de ce détail que son père avait opposé son veto.

— Je garderai le boléro, papa, je te le promets.

— Balivernes! Ou tu t'habilles décemment, ou tu peux dire adieu au bal. Si les autres filles aiment avoir l'air de petites garces, la mienne ne fera pas partie du lot. Tu n'as pas besoin d'exhiber ta poitrine pour attirer le regard des garçons, Maribeth. Autant que tu le saches tout de suite, avant de nous ramener un de ces mirmidons ridicules à la maison, d'accord ? fit-il, d'un ton définitif, alors que Noelle, la sœur cadette de Maribeth levait les yeux au ciel.

Noelle n'avait que treize ans mais sentait déjà gronder en elle le feu de la révolte. Quand elle marchait dans la rue, elle balançait des hanches et battait des cils chaque fois qu'un garçon sifflait à son passage. A seize ans, Maribeth manquait d'audace. Sa timidité maladive l'empêchait de tenir tête à leur père.

Naturellement, elle céda, comme toujours, fit demi-tour et partit se réfugier dans sa chambre où elle s'effondra, en larmes, sur son lit. En entendant sa fille sangloter, la mère de Maribeth vint à son secours. La garde-robe de la jeune fille ne recelait pas de trésors, mais Margaret Robertson dénicha une robe bleu marine à manches longues égayée par un col blanc. Son mari la trouverait certainement conforme à ses goûts. La seule vue du vêtement arracha à Maribeth un gémissement de désespoir.

— Oh, maman, j'aurai l'air de sortir du couvent. Ils vont se moquer de moi...

— Toutes les filles ne porteront pas ce genre de robe, Maribeth, répondit-elle en montrant la tenue empruntée, objet de la colère paternelle.

C'était un joli modèle, elle en convenait, mais en le voyant sur sa fille, elle avait eu un peu peur, elle aussi. Il donnait à Maribeth une allure terriblement féminine... A seize ans, elle avait une superbe poitrine, une taille fine, des hanches étroites, des jambes interminables. Même vêtue sans recherche, elle ne pouvait cacher sa beauté. Elle dépassait de plusieurs centimètres la plupart de ses amies et s'était développée plus vite que les filles de son âge.

Il fallut près d'une heure à Mme Robertson pour convaincre sa fille de porter la robe. Pendant ce temps, confortablement installé au salon, son père faisait subir un interrogatoire en bonne et due forme au garçon qui allait accompagner sa fille au fameux bal.

Maribeth le connaissait à peine. La nervosité du jeune homme augmentait un peu plus à chaque question de M. Robertson. Qui étaient ses parents ? Quel métier exercerait-il quand il aurait fini le lycée ? David O'Connor finit par avouer qu'il n'avait encore pris aucune décision à ce sujet et Bert Robertson en profita pour lui assener quelques vérités universelles. Le rude labeur formait le caractère et, par ailleurs, le service militaire exaltait chez un homme les qualités viriles du corps et de l'esprit... Le pauvre David approuvait timidement chaque remarque de M. Robertson quand Maribeth pénétra dans la pièce, vêtue de la robe abhorrée qu'éclairait le rang de perles de sa mère. Des chaussures plates avaient remplacé les souliers à talons de satin vert paon. Même ainsi, elle dépassait David d'une tête. Mais maintenant, plus rien n'avait d'importance. Elle se sentait affreusement laide dans cette tenue sombre qui tranchait étrangement avec sa chevelure d'un roux flamboyant.

Elle salua David.

— Tu es mignonne, la complimenta-t-il sans grande conviction.

Lui-même paraissait flotter dans le costume de son grand frère. Il lui tendit maladroitement le petit bouquet de fleurs que, suivant la coutume, elle devait épingler sur son corsage.

— Amusez-vous bien, dit gentiment sa mère, désolée que sa fille n'ait pu mettre la merveilleuse robe vert paon. Elle était superbe dans cette tenue, et elle avait l'air si adulte... Mais il était inutile de discuter les décisions de son époux. Une fois que Bert s'était forgé une opinion, rien ne pouvait le faire changer d'avis. Il était très strict avec ses filles et ne tolérait pas le moindre écart. Deux de ses sœurs s'étaient trouvées dans l'obligation de régulariser leur situation, des années auparavant, et Bert s'était juré que cela n'arriverait jamais à ses filles... Elles épouseraient de braves garçons en temps et en heure. Pas de flirts, pas de petits amis, pas de sorties nocturnes. Seul Ryan avait le droit de mener sa barque comme il l'entendait. C'était un garçon, après tout. Il avait maintenant dix-huit ans et travaillait depuis un an avec son père. Bert Robertson était le propriétaire du garage le plus prospère d'Onawa. Il réparait des voitures à trois dollars de l'heure, ce qui lui avait rapporté un bon petit pécule dont il était fier.

Ryan aimait travailler avec son père et montrait le même talent pour la mécanique que lui. Tous deux s'entendaient à merveille et il leur arrivait de partir chasser ou pêcher le week-end, laissant les filles à la maison avec leur mère. Celle-ci les emmenait au cinéma ou leur apprenait à coudre. Margaret n'avait jamais eu besoin de travailler, ce qui constituait un autre sujet de fierté aux yeux de Bert... Il ne faisait pas partie des notables de la ville, mais il pouvait marcher la tête haute, et aucune de ses filles ne lui ferait honte en s'exhibant à un bal accoutrée comme une traînée. Maribeth ne manquait pas d'attraits, certes, et c'était une raison de plus pour garder l'œil sur elle. Ce qui était arrivé à ses sœurs lui avait servi de leçon une fois pour toutes.

Il avait épousé une jeune femme simple et sans prétention : avant de le rencontrer, Margaret O'Brien souhaitait entrer dans les ordres. Elle avait été une bonne épouse pendant près de vingt ans. Jamais il ne lui aurait demandé sa main si elle avait eu l'allure sexy de Maribeth, ou la langue pendue de Noelle. Une fille donnait beaucoup de fil à retordre, avait-il conclu quelques années auparavant, bien que Maribeth ne lui ait jamais causé aucun problème... Et pourtant, ces derniers temps, elle s'était mise à avoir de drôles d'idées sur la condition féminine, et sur l'éducation qu'une femme était en droit de recevoir à l'école et même à l'université. Selon Bert, le tort en revenait à ses professeurs, qui la poussaient à continuer ses études. Bert n'avait rien contre l'accès des femmes aux études supérieures à condition que celles-ci sachent

s'arrêter et en fassent bon usage. Inutile d'avoir fait une
grande école pour changer une couche, se disait-il. Que
Maribeth apprenne la comptabilité et l'aide dans son
travail, c'était très suffisant ! Or, sa fille avait des
ambitions qui le dépassaient totalement : elle parlait de
femmes médecins, de femmes ingénieurs, de femmes
juristes, et *tutti quanti*. Mais qu'avait-elle donc dans la
tête ! Les filles étaient censées se conduire correctement, se marier et avoir des gosses, suivant les désirs et
les moyens financiers de leurs maris. Elles étaient
supposées prendre soin de leurs époux et de leur
progéniture, point final. Il l'avait bien fait comprendre à
Ryan.

— Ne va pas tomber amoureux d'une fille de rien et
te mettre dans une situation impossible si tu n'as pas
envie de l'épouser.

On pouvait parler franchement avec un garçon. Avec
les filles, c'était une autre affaire. Elles n'avaient qu'à
obéir, et pas à s'afficher dans des tenues indécentes aux
bals, quand elles ne vous rendaient pas fou avec leurs
idées saugrenues d'émancipation. Par moments, il se
demandait si les films que Margaret les emmenait voir
n'étaient pas à l'origine de cette rébellion... Oh, Margaret n'y était pour rien, il en était convaincu. C'était une
personne douce, respectable, qui ne l'avait pas contredit
une seule fois en vingt ans de vie commune. Mais
Maribeth... Bah, c'était une gentille petite, bien sûr,
mais avec toutes ces théories modernes, elle allait au-
devant de graves ennuis.

Quand Maribeth et David arrivèrent au bal — ils
avaient près d'une heure de retard — la fête battait son
plein. On ne les avait pas attendus pour s'amuser. Bien
que le règlement interdise l'alcool, la plupart des garçons
des classes terminales étaient pompettes, ainsi que
quelques filles, à en juger par leur attitude. En arrivant,
Maribeth avait aperçu quelques couples flirtant dans
des voitures sur le parking. Gênée à l'idée que David
puisse les avoir vus lui aussi, elle avait fait semblant de

ne pas les remarquer. Elle ne le connaissait pour ainsi dire pas mais il avait été le seul à l'inviter au bal... Sa curiosité avait été la plus forte et elle avait accepté. Elle en avait assez de rester à l'écart de tout, d'être toujours différente. Des années durant, elle avait été la première de sa classe, et cela ne lui avait pas procuré que des amis, au contraire. La moitié de ses camarades la détestait, l'autre moitié l'ignorait.

Chaque fois que ses parents s'étaient montrés à l'école, Maribeth avait cru mourir de honte. Sa mère aussi craintive qu'une souris, s'effaçait totalement devant son père. Quant à ce dernier, arrogant et bruyant, il était toujours prêt à prodiguer des conseils à tout le monde, en particulier à sa femme... Jamais elle n'avait osé s'élever contre lui, obtempérant à tout ce qu'il disait, se rangeant à ses opinions, même quand elles étaient visiblement fausses. Mais ce que Maribeth détestait par-dessus tout, c'est quand il se mettait à discourir sur les femmes et leur rôle dans la société — une société bâtie bien évidemment par des hommes — et sur l'inutilité de l'éducation. Bert Robertson citait son propre cas en guise d'exemple. Orphelin, il avait grandi dans une institution de Buffalo et avait bon an mal an décroché son certificat d'études, ce qui ne l'avait pas empêché de se faire une bonne situation. Selon lui, on n'avait guère besoin de plus pour réussir. Aussi le fait que son fils se soit donné la peine de finir ses études au lycée tenait à ses yeux du miracle. Ryan incarnait le cancre dans toute sa splendeur, et les plaintes et les renvois étaient toujours demeurés sans effet. Bert trouvait amusante l'attitude de son rejeton...

Ce dernier avait eu de la chance. A l'heure actuelle il aurait dû se battre en Corée dans les Marines, mais ses pieds plats, ainsi qu'un genou irrémédiablement endommagé lors d'un mémorable match de football, lui avaient valu d'être réformé... Maribeth et Ryan n'avaient pas grand-chose à se dire. La jeune fille avait du mal à croire qu'ils venaient de la même famille, et même qu'ils étaient nés sur la même planète.

Grand, beau, insolent, Ryan n'était pas particulièrement brillant.

— Mais enfin, que veux-tu ? Quels sont tes désirs ? lui avait-elle demandé un jour, dans l'espoir de mieux cerner son caractère.

Il l'avait considérée, interloqué.

— Les voitures, les filles, la bière... prendre du bon temps, quoi. Papa ne pense qu'au boulot... Remarque, je préfère réparer des voitures, plutôt que de dépérir dans une banque ou un cabinet d'assurance. J'ai de la chance de travailler pour papa.

Elle lui avait rendu son regard et avait hoché la tête, en essayant de le comprendre et de respecter ses désirs.

— Mais tu n'as pas envie d'autre chose ?

— Comme quoi ?

— N'importe quoi... Aller ailleurs. A Chicago ou à New York. Trouver un travail plus intéressant... ou faire des études...

Elle s'était soudain aperçue qu'elle évoquait ses propres rêves... Des rêves qu'elle ne pouvait partager avec personne pas même avec ses camarades de classe. Les autres filles ne couraient pas après les distinctions et les prix d'excellence. Maribeth était différente. Et cette différence avait créé un vide autour d'elle, si bien qu'elle se voyait obligée d'aller au bal accompagnée d'un garçon comme David.

Mais elle tenait à ses rêves comme à la prunelle de ses yeux. Personne au monde ne l'empêcherait de les réaliser, pas même son père. Maribeth désirait ardemment mener de front vie professionnelle et vie privée.

Elle rêvait d'un mari qu'elle aimerait et respecterait. Elle ne lierait jamais sa destinée à un être qui ne forcerait pas son admiration. Elle avait de la peine à imaginer une existence aussi terne que celle de sa mère, auprès d'un homme qui ne lui témoignerait aucune considération, aucune marque d'estime... Certains de ses professeurs, qui avaient apprécié sa valeur, l'incitaient à s'inscrire plus tard à l'université, brisant à tout jamais la chaîne qui la reliait à sa famille.

— Tu veux un verre de punch ? demanda David.

— Comment ? (Ses pensées étaient à mille lieues de là.) Excuse-moi, je pensais à autre chose. Je suis désolée de ce que mon père t'a fait subir ce soir. Nous nous étions disputés au sujet de ma robe et j'ai dû en changer.

— Celle-ci est très jolie, affirma le garçon d'un ton qui signifiait exactement le contraire.

C'était tout sauf joli, et elle le savait. Elle se sentait affreusement mal à l'aise dans cet uniforme austère et elle avait dû faire appel à tout son courage pour oser sortir avec. L'espace d'une seconde, elle se demanda pourquoi David O'Connor avait tenu à être son chevalier servant... il était bien le seul, d'ailleurs. Maribeth avait fini par s'identifier à l'image que les autres lui renvoyaient. On la trouvait plutôt bizarre, avec sa taille de jeune géante, sa lourde chevelure rousse et sa passion des études. Jusqu'alors, elle n'avait jamais eu de rendez-vous avec un garçon. Personne ne le lui avait demandé... Sauf David. Et pour cause ! C'était un gringalet court sur pattes, bourré de complexes. Qui aurait-il osé inviter, à part Maribeth Robertson ? Il n'avait pas vraiment le choix, à moins de se rabattre sur l'un des laiderons de l'école avec qui aucun garçon ne souhaitait être vu.

En vérité, Maribeth plaisait bien à David. Il n'aurait pas traversé les océans à la nage pour elle, mais il la trouvait plutôt mignonne. Certes, son père l'avait enquiquiné avec ses sermons qui n'en finissaient plus. Il était en train de se demander s'il n'était pas tombé dans un guet-apens, quand enfin elle avait fait irruption dans la pièce, drapée dans sa robe bleu foncé ornée du col blanc... Il lui avait fait compliment sur sa bonne mine avec sincérité. On devinait parfaitement ses formes épanouies sous l'ample tissu sombre. A l'idée de

serrer contre lui ce corps de liane en dansant, il se
sentit gagné par une excitation incroyable.

— Veux-tu du punch ? répéta-t-il.

Elle hocha la tête... Pourtant elle n'en voulait
pas. Elle regrettait d'être venue. Bientôt, il allait
l'entraîner sur la piste de danse et elle aurait l'air
d'une cloche dans cette satanée robe. Elle aurait
mieux fait de rester à la maison à écouter la radio,
comme son père le lui avait suggéré.

— Je reviens dans une minute, dit David avant
de disparaître en direction du bar.

Maribeth laissa son regard errer sur les couples
enlacés, qui se balançaient au rythme langoureux du
blues. La plupart des filles portaient des toilettes à
la mode : jupes longues à bustier et jaquettes
courtes et moulantes, exactement comme la tenue
dont elle s'était parée l'espace de cinq minutes.

David reparut avec les punchs, tout sourire. Il lui
tendit un gobelet d'un air de conspirateur. Maribeth
y trempa ses lèvres. Ça avait un drôle de goût.

— Qu'y a-t-il là-dedans ? s'enquit-elle en reniflant
le breuvage.

L'odeur piquante confirma ses soupçons. Elle
avait rarement goûté à de l'alcool, mais celui-ci avait
été frelaté, elle en eut la conviction.

— Juste un mélange magique, répondit David.

Son sourire s'était élargi, et une lueur coquine
s'était allumée dans ses prunelles.

— Je ne veux pas m'enivrer, répliqua-t-elle d'une
voix neutre.

Elle se sentait aussi à l'aise qu'un poisson hors de
l'eau.

— Allons, Maribeth, ne sois pas idiote. Tu ne
seras pas ivre. Seulement un peu plus décontractée.

Elle l'examina plus attentivement, réalisant soudain qu'il ne paraissait pas être dans son état
normal.

— Combien de verres as-tu bu ?

— Les copains ont apporté deux bouteilles de rhum et Cunningham nous a offert un flacon de vodka.

— Merveilleux. Génial.

— N'est-ce pas ? ronronna-t-il, au comble de la félicité, sans remarquer le ton glacial de sa voix.

— Je reviens, dit-elle en se redressant.

Il leva sur elle un regard anxieux. Ils n'avaient pas encore dansé.

— Où vas-tu ?

— Aux toilettes des dames.

— J'ai entendu dire qu'ils avaient de l'alcool, là-bas aussi.

— Je t'en rapporterai, fit-elle avant de se fondre dans la foule.

L'orchestre jouait *In the Cool, Cool, Cool, of the Evening* et les adolescents dansaient joue contre joue sur la piste. Maribeth se fraya un passage vers le fond du gymnase aménagé en salle de bal, passant devant un groupe de garçons qui s'escrimaient à cacher une bouteille. Sous l'effet de l'alcool, ils parlaient fort en dodelinant de la tête. D'autres dans un coin vomissaient leurs tripes. Cela lui rappelait désagréablement son frère quand il rentrait de ses surprises-parties...

Maribeth se dirigea vers la sortie. Dehors, elle se laissa tomber sur un banc en s'efforçant de rassembler ses esprits avant d'aller retrouver David. A n'en pas douter, elle le retrouverait totalement saoul. Elle ne risquait pas de s'amuser... Mieux valait rentrer à pied à la maison. Après quelques verres supplémentaires, David ne remarquerait même pas son absence.

Elle resta un long moment sur le banc, dans l'air froid de la nuit. Enfin seule ! Loin de tous ces jeunes insupportables, loin de David, loin de ses parents. Seule, dans la nuit. Pour un peu, elle aurait souhaité rester assise là jusqu'à la fin des temps. Elle avait calé sa nuque contre le dossier de bois, fermé les yeux et allongé les jambes et s'était laissé envahir par une agréable sensation de flottement.

— On a trop bu ?

Une voix douce, à son côté, la fit tressaillir. Elle rouvrit les yeux sur un visage familier. Il était en terminale, passait pour un dieu du stade et ne savait certainement pas à qui il s'adressait. Sans doute l'avait-il prise pour quelqu'un d'autre. Elle redressa le buste en secouant la tête.

— Non. Simplement il y a trop de gens. Trop de bruit. Trop de tout, à mon goût.

— Moi, c'est pareil, fit-il en prenant place sur le banc. (Maribeth ne put s'empêcher de remarquer combien il était séduisant dans le clair de lune.) Je déteste la foule.

— Allons bon ! pouffa-t-elle, surprise de se sentir aussi à l'aise pour une fois. Vous êtes toujours entouré d'un tas de fans.

Il parut intrigué.

— Comment savez-vous qui je suis ? Qui êtes-vous ?

— Cendrillon. Ma Buick vient de se transformer en vieille citrouille et j'ai quitté le bal à la recherche de ma pantoufle de vair... Vous ne l'avez pas vue ?

— Ça se pourrait. Décrivez-la moi. Qu'est-ce qui me prouve que vous êtes la vraie Cendrillon ?

Elle l'amusait, constata-t-il. Sa robe manquait d'éclat, mais elle avait un joli visage, un corps superbe et un fabuleux sens de l'humour.

— Etes-vous en terminale ? demanda-t-il.

Toute l'école savait qu'il sortait avec Debbie Flowers depuis qu'ils avaient quinze ans. D'après la rumeur, ils allaient se marier après la remise des diplômes.

— Je suis une « junior », répondit-elle avec un sourire timide, en se disant obscurément que son jeune âge ferait certainement fuir le Prince Charmant.

— C'est pourquoi je ne vous ai jamais remarquée, dit-il franchement. Vous paraissez plus âgée.

— Je suppose que je dois vous remercier, répondit Maribeth en plaisantant.

Elle savait qu'elle aurait dû retourner auprès de

David, ou rentrer chez elle à pied. Au lieu de cela, elle ne bougea pas. De sa vie elle ne s'était sentie aussi à l'aise en compagnie d'un garçon.

— Je m'appelle Paul Browne. Quel est le nom de Cendrillon ?

— Maribeth Robertson, dit-elle en se levant.

— Où allez-vous ?

Il s'était redressé, lui aussi. Il était grand, avec des cheveux brun foncé, un sourire éblouissant, et il eut l'air déçu.

— Je rentre chez moi.

— Seule ? Avez-vous besoin d'un chauffeur ?

— Non, merci, ça va aller.

Le canard boiteux dans la voiture de Paul Browne, la vedette masculine du lycée. Qui l'eût cru ? Elle eut un sourire involontaire.

— Laissez-moi au moins vous raccompagner à l'intérieur. N'allez-vous pas mettre votre cavalier au courant de votre départ ?

— Il le faut bien...

Ils se dirigèrent vers l'entrée principale comme de vieux amis. David, on ne peut plus éméché, éclusait allègrement une bouteille de tord-boyaux avec une demi-douzaine de copains, en dépit de la présence de plusieurs surveillants alentour.

— Je ne crois pas qu'il soit nécessaire de lui dire au revoir, déclara Maribeth en se tournant vers Paul.

Il la dominait de toute sa haute stature. Auprès de lui, elle avait l'impression d'être une poupée fragile.

— Merci de m'avoir tenu compagnie. Je vais rentrer maintenant.

La soirée avait été un pur désastre, sa brève rencontre avec Paul Browne mise à part.

— Je refuse de vous laisser partir seule. Acceptez que je vous raccompagne. Que craignez-vous ? Que ma Chevy se transforme en citrouille, elle aussi ?

— Mais non. N'êtes-vous pas le Prince Charmant ?

« Je n'aurais pas dû débiter une ânerie pareille »,
songea-t-elle au même moment, rougissante.

— Certainement ! fit-il dans un rire, en la pilotant
hors du gymnase.

Sa voiture, une Bel Air 1951, aux chromes rutilants,
était garée dans le parking. Un moelleux cuir rouge
capitonnait les sièges.

— Pas mal, pour une citrouille, le taquina-t-elle.

Il lui ouvrit la portière... Installée à la place du
passager, elle lui donna son adresse, mais il suggéra un
détour pour aller prendre un milk-shake et des hamburgers.

— Ce sera toujours plus amusant que cette parodie
de bal, insista-t-il. Votre petit ami ne semble pas s'être
montré à la hauteur... Je parie que vous n'avez même
pas dansé... Pourquoi refuser de passer un bon moment
avant de vous précipiter chez vous ? Il est encore
tôt.

C'était vrai. Ses parents ne l'attendaient pas avant
minuit.

— D'accord, lança-t-elle d'une voix légère, ne voulant pas montrer combien cette idée lui plaisait. Vous
êtes venu seul ce soir ? questionna-t-elle en se demandant où était passée Debbie.

— Seul, oui. Je suis à nouveau libre.

Rien d'étonnant que Maribeth soit au courant de son
idylle. Tout le monde le savait. Mais ils s'étaient séparés
deux jours plus tôt, car Debbie avait découvert qu'il
l'avait trompée pendant les vacances de Noël. Maribeth
n'avait nul besoin de connaître la raison de leur rupture.

— Une chance pour moi, n'est-ce pas ? murmura-t-il
en lui dédiant un sourire désarmant.

Il l'emmena chez *Willie's*, la boîte de nuit la plus
populaire de la ville. Les lycéens la fréquentaient
assidûment jusqu'au matin. Le juke-box jouait à pleine
puissance quand ils pénétrèrent dans l'établissement,
noir de monde. Soudain, au milieu des grappes d'adolescents surexcités, Maribeth eut une conscience aiguë

de l'accoutrement désuet que ses parents l'avaient
obligée à porter. Elle se sentit toute petite ; trop jeune, à
côté de Paul qui avait presque dix-huit ans. Comme s'il
avait deviné son embarras, il la présenta à tous ses amis.
Elle vit quelques sourcils se lever, interrogateurs,
quelques rires sous cape, mais tous lui réservèrent un
accueil chaleureux. Apparemment, le fait d'être l'invitée de Paul la nimbait d'une aura de gloire, car tout le
monde voulut lui parler. Bientôt, elle rit de plaisir, en
dégustant un cheeseburger et un milk-shake et en
bavardant avec lui. Ils dansèrent plusieurs fois au son
éraillé du juke-box, y compris quelques slows, ce qui
permit à Paul de la serrer dans ses bras et de sentir sa
magnifique poitrine contre son torse. Désarçonnée, elle
voulut le repousser, mais il resserra son étreinte. Son
regard plongea sur elle et un lent sourire se dessina sur
ses lèvres.

— Où te cachais-tu donc pendant ces quatre dernières années, petite fille ? susurra-t-il d'une voix en-
rouée.

— Pas loin. Mais tu étais trop occupé pour me
remarquer, rétorqua-t-elle avec une franchise qu'il
apprécia.

— Tu as raison. Je suis un idiot. Ce soir, c'est ma
nuit de chance.

Il l'attira plus près, lui frôlant les cheveux de ses
lèvres. Quelque chose en elle aiguisait son désir, et ce
n'était pas seulement son corps bien cambré, ou ses
seins. Cela tenait sans doute aussi à la façon dont elle le
regardait. A la manière spontanée dont elle répondait à
ses avances furtives. On eût dit que rien ne lui faisait
peur. Elle n'était encore qu'une enfant... Il aurait
intimidé n'importe quelle fille de son âge... Pas elle.
Maribeth ne se gênait pas pour dire ce qu'elle pensait et
cela lui plaisait. Sa rupture avec Debbie avait froissé son
amour-propre. Maribeth représentait le baume dont son
cœur blessé avait besoin.

De retour dans la voiture, il la regarda. Il avait aimé

danser avec elle. Tout en elle l'excitait au plus haut point.

— Veux-tu faire un tour ? Il est à peine onze heures.

— Je dois rentrer, fit-elle prudemment.

Il démarra mais lança la Chevy en direction du parc au lieu d'emprunter le chemin de sa maison. Cela ne parut pas l'inquiéter. Elle se sentait en sécurité auprès de Paul. Il s'était comporté comme un vrai gentleman, contrairement à David.

— Juste un tour et je te ramène, c'est promis. Je n'ai pas envie que cette nuit se termine. J'ai passé un moment très agréable grâce à toi, Maribeth.

Le cœur de la jeune fille s'était mis à battre si fort qu'elle avait l'impression qu'il allait exploser. Paul Browne ! Etait-ce possible ? Et s'il quittait Debbie Flowers pour sortir avec elle ? Elle avait de la peine à y croire.

— Un moment formidable, répéta-t-il d'un ton suggestif.

— Moi aussi. Je me suis amusée mille fois mieux qu'au bal.

Il freina, gara la voiture près du sombre miroir d'un lac, avant de se retourner vers elle, une fois de plus.

— Tu es une fille spéciale, Maribeth... (Il avait extirpé de la boîte à gants une flasque de gin qu'il lui tendit.) Une petite gorgée pour la route ?

— Non merci, je ne bois jamais.

— Pourquoi ? s'étonna-t-il.

— Je n'aime pas le goût de l'alcool.

Il insista et elle accepta d'avaler un peu de liquide clair et liquoreux, qui lui brûla la gorge. L'alcool glissa dans son estomac où il s'épanouit en une réconfortante corolle de chaleur. Un flot incarnat lui embrasa les pommettes. Paul la prit dans ses bras et lui scella les lèvres d'un baiser sauvage.

— Tu préfères cela au gin, n'est-ce pas ? Moi aussi... chuchota-t-il, avant de l'embrasser une nouvelle fois.

Ses doigts s'étaient attaqués aux boutons de son

corsage que Maribeth tentait vainement de garder fermé, mais les mains du garçon, plus agiles, plus expertes que les siennes, eurent gain de cause et un instant plus tard, il lui caressait les seins, tout en buvant son souffle en un baiser sans fin.

— Paul... non... je t'en prie... murmura-t-elle faiblement, ne sachant comment l'arrêter.

Insensible à ses protestations, il se pencha vers elle, puis, comme par un tour de baguette magique, le soutien-gorge de Maribeth s'envola, tandis que sa robe sage s'ouvrait, révélant sa somptueuse poitrine. Elle sentit sa bouche sur ses seins, dont il happa chaque pointe raidie et un gémissement lui échappa quand il glissa une main entre ses jambes. Eperdue, elle s'efforça de serrer les cuisses, mais en vain car il avait su trouver immédiatement la partie la plus secrète de son être... Leurs lèvres s'unirent avidement et Maribeth dut déployer un effort surhumain pour résister à l'exquise langueur qui l'enflammait. Finalement, elle parvint à se dégager, hors d'haleine, et elle le contempla d'un regard plein de regret, en secouant la tête.

— Je ne peux pas, Paul. Je suis désolée.

La tête lui tournait.

— Ce n'est pas grave, répondit-il gentiment. Je comprends. Je n'aurais pas dû... Excuse-moi...

Mais à peine avait-il prononcé ces mots que de nouveau il cherchait ses lèvres. Se sentant partir à la dérive, Maribeth essaya de réagir, mais c'était bien plus difficile que la première fois. Effarée, elle sentit qu'il guidait sa main vers le centre de son corps et, fascinée, elle se prêta au jeu, tout en livrant un rude combat intérieur. La chose abjecte, *l'interdit*, le péché contre lequel sa mère n'avait cessé de la mettre en garde, la peur de commettre l'irréparable, tout se mit à se bousculer dans sa tête... Trop tard, car le brasier du désir la consumait tout entière et, comme dotées d'une vie à part, ses mains, ses lèvres, sa langue rendirent à Paul ses caresses avec une ardeur proche de la frénésie.

N'y tenant plus, il la fit glisser sur la banquette et s'allongea sur elle, incapable de se contenir davantage.

— Oh, ma belle... Maribeth... je te veux tellement... oh, ma chérie...

Tout en remontant la robe de la jeune fille, il avait baissé son pantalon, puis il se pressa contre elle, lui faisant sentir le besoin désespéré de la posséder... La même envie impétueuse la ravagea, le même besoin sans limites de lui appartenir... Une cuisante douleur la surprit quand il fut en elle ; le seul fait de la prendre le mit aussitôt au bord de l'extase... Un râle franchit ses lèvres et tout son corps se raidit en proie à une fulgurante volupté.

— Oooh ! non ! gronda-t-il, surpris par le plaisir... oh, mon Dieu...

Ils se regardèrent, sans parvenir encore à croire à ce qu'ils avaient fait. Tendrement, il lui caressa la joue.

— Maribeth, je suis navré. Tu étais vierge. Je n'ai pas pu me contrôler. Tu es si belle, et je te voulais comme un damné. Excuse-moi, bébé.

— Ce n'est rien, s'entendit-elle le rassurer.

Il se rajusta, l'aida à mettre de l'ordre dans ses vêtements, s'accorda une longue rasade de gin avant de lui passer le flacon. Cette fois-ci, elle ne refusa pas. Etait-ce cette première gorgée d'alcool qui l'avait poussée à lui céder ? se demanda-telle. Ou était-ce parce qu'elle était amoureuse de lui ? Allait-elle être sa petite amie attitrée dorénavant ?

— Tu es mignonne, sourit-il tout en l'attirant dans ses bras pour l'embrasser. Je suis navré que ça se soit passé ici, aussi vite. La prochaine fois, ce sera mieux, je te le promets. Mes parents vont s'absenter pendant deux semaines et tu pourras venir à la maison.

Maribeth lui lança un regard incertain. En quelques minutes, toute sa vie avait basculé dans un univers inconnu.

— Est-ce que toi... et Debbie...

« Question idiote ! » pensa-t-elle, mais il lui adressa un sourire compréhensif.

— Tu es trop jeune, n'est-ce pas ? Quel âge as-tu exactement ?

— J'ai eu seize ans il y a deux semaines.

— Eh bien, tu es une grande fille, maintenant.

Il ôta sa veste et la lui passa autour des épaules, ayant remarqué qu'elle tremblait. Elle était encore sous le choc mais elle sut qu'elle devait poser la question tout de suite.

— Pourrais-je tomber enceinte, après ça ?

Cette seule pensée la terrifiait. Paul eut un hochement de tête rassurant.

— Je ne crois pas... Pas la première fois ! Je veux dire qu'il y a un risque, mais cela m'étonnerait. La prochaine fois, je ferai attention.

Elle ne comprit pas très bien ce que « faire attention » signifiait au juste. Toutefois, s'ils se revoyaient régulièrement, il faudrait sûrement « faire attention », conclut-elle. Un bébé était la dernière chose dont elle avait besoin. L'idée d'une grossesse lui donnait le vertige. Il était hors de question d'être forcée de se marier, comme ses deux tantes. Soudain, toutes les histoires que son père ressassait à longueur de journée lui revinrent en mémoire.

— Comment saurai-je si je suis enceinte ? demanda-t-elle, tandis qu'il démarrait.

Il lui jeta un bref regard, étonné par sa candeur. Vraiment, elle avait l'air plus avertie, tout à l'heure.

— Tu ne sais pas ? Tu n'auras plus tes règles. Mais n'aie crainte. Tout va bien se passer.

Le reste du trajet se déroula dans le silence. Il arrêta la Chevy devant le perron, jeta un coup d'œil alentour avant de l'embrasser.

— Merci, Maribeth. J'ai passé une excellente soirée.

Perdre sa virginité signifiait pour elle beaucoup plus que passer une « excellente soirée », mais pour une fois, Maribeth n'exprima pas le fond de sa pensée. Elle avait eu tort de lui céder aussi vite, il ne lui avait même pas dit qu'il l'aimait.

— J'ai également passé une excellente soirée, répliqua-t-elle poliment. On se reverra à l'école.

Elle lui rendit sa veste, ouvrit la portière, gravit la volée de marches. La porte n'était pas fermée à clé et elle se glissa à l'intérieur. Il était minuit moins deux minutes. Dieu merci, tout le monde était parti se coucher, ce qui lui épargnerait l'interrogatoire de rigueur. Elle passa dans la salle de bains où elle prit rapidement une douche. Ensuite, elle savonna sa robe, et la mit à sécher en s'efforçant de retenir ses larmes. Elle pourrait toujours prétendre que quelqu'un lui avait renversé son verre dessus.

Elle enfila sa chemise de nuit, tremblant de tous ses membres, puis se faufila dans la chambre qu'elle partageait avec Noelle et se glissa silencieusement dans son lit où elle resta étendue, les yeux grands ouverts sur l'obscurité, passant et repassant le film des événements dans son esprit. Peut-être se trouvait-elle à un important tournant de sa vie sentimentale, se disait-elle pour se rassurer. Elle ignorait totalement les sentiments de Paul Browne à son égard. Combien de fois n'avait-elle pas entendu des histoires de jeunes filles séduites et abandonnées ? Sauf que Paul Browne ne l'avait pas à proprement parler « séduite ». Il l'avait simplement prise, et elle avait été parfaitement consentante. Elle était aussi responsable que lui dans cette affaire. Le pire était qu'elle ne regrettait rien. Seulement, elle avait peur de l'avenir... Maribeth resta longtemps éveillée, en priant le ciel pour qu'elle ne soit pas enceinte.

Le lendemain matin, au petit déjeuner, sa mère lui demanda si elle s'était bien amusée. Elle répondit par l'affirmative. Bizarrement, personne ne semblait s'être rendu compte qu'elle était à présent une personne différente. Une adulte. Une femme passionnément amoureuse de l'homme le plus séduisant de la terre.

Ryan était d'une humeur exécrable et Noelle se querellait avec sa mère pour une broutille. Leur père s'était déjà rendu à son garage, bien que ce fût samedi.

Leur mère déclara qu'elle avait la migraine... Chacun vaqua à ses occupations sans remarquer que la chrysalide s'était muée en papillon, ni que Cendrillon avait enfin trouvé son Prince Charmant.

Maribeth passa le week-end sur un nuage. L'atterrissage n'en fut que plus brutal, le lundi suivant, lorsqu'elle aperçut Paul bras dessus, bras dessous avec Debbie Flowers, dans la cour de l'école. Vers midi, tous les élèves avaient appris le fin mot de l'histoire. Lui et Debbie s'étaient disputés, à cause d'une infidélité qu'il aurait commise une quinzaine plus tôt. Debbie avait été furieuse. Ils s'étaient quittés, mais leur séparation n'avaient pas duré plus d'une semaine. Le dimanche, ils s'étaient réconciliés et avaient repris leurs habitudes.

Maribeth eut l'impression que son cœur éclatait en mille morceaux. Elle évita soigneusement Paul jusqu'au jeudi suivant. Chaque fois qu'il essayait de l'approcher, elle lui tournait le dos... Il réussit à la surprendre dans les vestiaires, alors qu'elle rangeait sa tenue de gymnastique dans son placard. Cela faisait plusieurs jours qu'il guettait l'occasion de lui parler.

— Peut-on aller discuter quelque part ? demanda-t-il à voix basse.

— Non, je regrette. Je ne veux pas me mettre en retard pour le cours de géographie.

Il lui avait saisi le bras.

— Ecoute, Maribeth, je suis vraiment désolé de ce qui s'est passé. J'étais sincère avec toi... franchement... Debbie m'a tanné tout le week-end... Il y a si longtemps que nous sommes ensemble... Enfin, je n'ai pas voulu te blesser.

Maribeth serra les dents, afin de retenir un cri de désespoir. Pourquoi fallait-il qu'il soit gentil, en plus ?

— Ne t'inquiète pas. Je vais bien.

— Mais non, fit-il, l'air coupable. Tu ne vas pas bien, cela se voit comme le nez au milieu de la figure.

— Je t'assure, murmura-t-elle, les yeux soudain embués, oublions tout ça.

— Tu sais où me trouver si tu as besoin de moi.

La semaine suivante, elle s'appliqua à l'oublier. Pourtant, le hasard faisait qu'elle le rencontrait partout dans le hall, la cour, le gymnase. Comme si l'éviter relevait de l'impossible. Début mai, six semaines après « l'incident », ainsi que Maribeth avait fini par appeler leur étreinte d'un soir, Paul et Debbie annoncèrent leurs fiançailles. Le mariage serait célébré en juillet, après la remise des diplômes. Le même jour, Maribeth découvrit qu'elle était enceinte.

Elle n'avait que deux semaines de retard mais des nausées lui soulevaient l'estomac à tout bout de champ et tout son corps avait subi des changements. En particulier ses seins : il lui semblait qu'ils avaient enflé et étaient devenus incroyablement sensibles. Il lui était difficile de croire qu'autant de transformations aient pu s'opérer en si peu de temps. Pour le moment, elle était la seule à s'en apercevoir. Un jour, allongée sur le carrelage de la salle d'eau, après avoir vomi, elle sut qu'elle ne pourrait cacher son état bien longtemps.

Mais à qui se confier ? Elle répugnait à annoncer la nouvelle à Paul. Finalement, fin mai, elle rendit visite au médecin de sa mère, le suppliant de ne rien dire à ses parents. Elle avait tellement pleuré qu'il avait accepté à contrecœur de garder son secret. Le diagnostic avait confirmé les soupçons de la jeune fille. Elle était enceinte de deux mois. Paul s'était trompé : on pouvait parfaitement tomber enceinte la première fois. Elle se demanda s'il lui avait menti délibérément, rien que pour la rassurer, ou s'il s'agissait d'une réaction stupide… L'un n'empêchait pas l'autre, se dit-elle, assise sur la table d'examen, le drap ramené sur sa poitrine, les yeux brûlants de larmes, alors que l'obstétricien lui posait les questions d'usage.

— Savez-vous qui est le père de l'enfant ?

— Oui, bien sûr, répondit-elle, sans pouvoir s'empêcher de se sentir humiliée.

— Compte-t-il vous épouser ?

Elle secoua la tête, faisant virevolter la masse flamboyante de ses cheveux, les yeux agrandis, semblables à des océans verts.

— Il est fiancé, murmura-t-elle d'une voix rauque.

Le docteur hocha la tête.

— Il pourrait changer ses plans. Beaucoup d'hommes le font, dans certaines circonstances.

Il lui sourit tristement : il éprouvait de la pitié pour elle. C'était une gentille petite écolière et, visiblement, cet événement allait bouleverser toute sa vie.

— Non, je ne crois pas, répondit-elle doucement.

Après tout, que représentait-elle pour lui ? Une aventure sans lendemain. « Tu sais où me trouver si tu as besoin de moi », avait-il affirmé... Eh bien, elle avait besoin de lui maintenant. Mais pour rien au monde elle ne le forcerait à l'épouser sous prétexte qu'il l'avait mise enceinte.

— Allez-vous mettre vos parents au courant de la situation, Maribeth ?

Yeux fermés, elle tressaillit.

— Je ne sais pas encore.

— Voulez-vous que je leur en parle avec vous ?

C'était gentil de sa part mais elle s'empressa de décliner son offre.

— Et si je m'en débarrassais ? questionna-t-elle courageusement.

D'après sa mère, l'avortement comportait des risques mortels. Margaret Robertson avait souvent raconté à ses filles l'histoire d'une jeune femme du quartier qui avait failli y laisser sa peau. Mais mieux valait affronter la mort que le courroux de son père.

Le médecin fronça les sourcils.

— Cela coûte cher, sans oublier que c'est dangereux et illégal... A votre âge, il y a d'autres solutions possibles. Le plus simple est d'avoir le bébé et de le faire adopter... Il naîtra en décembre. Quand votre état deviendra visible, vous pourriez vous réfugier chez les Sœurs de la Charité.

— Vous voulez dire... donner le bébé...

— Exactement, répondit-il en la regardant avec compassion. Elle était si jeune, si naïve. Une enfant, malgré son allure de femme.

— Vous n'avez pas besoin de vous cacher maintenant. Cela ne se verra pas avant juillet-août, peut-être même plus tard. En ce cas, vous devez avouer la vérité à vos parents.

Maribeth hocha la tête. Avouer la vérité. Laquelle ? Qu'elle avait couché avec un garçon qu'elle connaissait à peine ? Qu'il n'avait pas l'intention de l'épouser ? A la rigueur, sa mère arriverait à comprendre. Mais son père... Elle frissonna tout en se rhabillant et s'en alla non sans avoir extorqué au praticien la promesse de garder le silence.

Elle chercha Paul dans tout le lycée l'après-midi entier. La remise des diplômes devait avoir lieu dans deux semaines et Maribeth était ennuyée à l'idée de lui dire la vérité maintenant, mais elle n'avait pas le choix.

Lorsqu'elle le découvrit, il la conduisit derrière le gymnase et ils prirent place sur le banc où ils avaient fait connaissance la fameuse nuit du bal. Maribeth n'y alla pas par quatre chemins.

— Oh merde ! s'exclama-t-il. Oh, non, tu n'es pas...

Sa phrase se fondit dans un gros soupir à la mesure de son désarroi.

— Si, Paul. J'en suis navrée. Je ne te l'aurais pas dit mais, finalement, j'ai pensé que tu avais le droit de le savoir.

— Je me marie dans six semaines. Debbie me tuera si elle l'apprend. Je lui ai juré que tout ce qu'elle avait entendu à ton sujet n'était qu'un tissu de mensonges.

— Qu'a-t-elle donc entendu ?

— Que j'étais sorti avec toi cette nuit-là. Tout le monde nous a vus ensemble chez *Willie's*. Après tout j'avais rompu avec elle. C'était normal que je m'amuse un peu non ? Je lui ai dit qu'il s'agissait juste d'une amourette. D'un flirt sans conséquence.

Maribeth éprouva un douloureux pincement au cœur... Ainsi, seule Debbie comptait à ses yeux.

— Et était-ce juste ça ? s'enquit-elle d'un ton pointu. Une amourette ?

Elle voulait savoir. Elle avait le droit de connaître ses sentiments. Elle portait son bébé.

— Non, bien sûr, répondit-il après un temps de réflexion. C'était bien plus profond qu'un simple flirt... Debbie m'a persécuté tout le week-end. Elle a pleuré en prétendant que je la traitais comme une moins que rien et que, après trois ans ensemble, je lui devais bien quelque chose. Alors je lui ai promis de l'épouser après la remise des diplômes.

— Désires-tu réellement te marier, Paul ?

Il détourna les yeux sous le regard vert qui le sondait.

— Je n'en sais rien. Je ne sais plus ce que je veux. Mais je suis sûr d'une chose : je ne veux pas de ce bébé.

— Moi non plus.

Non, elle n'avait pas envie d'un enfant, pas maintenant, surtout pas avec un homme qui, manifestement, ne l'aimait pas. Tout comme elle ne voulait pas ressembler à ses tantes. Elle n'épouserait pas Paul, même s'il le lui demandait, ce dont elle doutait fortement. Depuis toujours, elle avait pensé que l'on faisait des enfants avec un homme dont on était fière... Pas avec quelqu'un qu'il faudrait traîner devant l'autel, le couteau sous la gorge.

— Pourquoi tu ne t'en débarrasses pas ? s'enquit-il.

— Tu veux dire le faire adopter ?

— Non. Avorter. J'ai une amie qui est passée par là. Je me renseignerai. L'intervention coûte assez cher, mais je suis prêt à participer aux frais.

— Non, merci, Paul.

Le médecin l'avait découragée de s'engager dans cette voie. Par ailleurs, le mot avortement avait pour elle un arrière-goût de meurtre et sonnait très désagréablement à son oreille.

— Tu... tu vas le garder ? fit-il dans un chuchotement incrédule.

Bon sang ! Debbie le tuerait.

— Non. J'irai chez les sœurs. Je le mettrai au monde, après quoi elles s'occuperont de la procédure d'adoption... Voudras-tu le voir ?

Il secoua vigoureusement la tête, détournant le regard. Elle posait de ces questions ! Il détestait le fardeau qu'elle venait de lui imposer sans crier gare. A cause d'elle, il se sentait lâche. Cela le rendait furieux... Il n'avait ni l'aplomb ni le courage nécessaires pour l'aider à traverser cette épreuve. Et, par ailleurs, il n'avait pas envie de perdre Debbie.

— Désolé, répéta-t-il, comme si ce mot résumait toute la situation. Tu dois me prendre pour une lavette.

Elle faillit répondre oui, mais y renonça. Elle ouvrit la bouche pour dire « je comprends », puis elle se ravisa. Car, en fait, elle ne comprenait pas. Non, elle ne comprenait pas pourquoi elle allait devoir cacher sa honte chez les bonnes sœurs, alors que lui célébrerait son mariage avec Debbie... Un lourd silence suivit que ni l'un ni l'autre ne sut ou ne voulut rompre. Puis Paul s'en alla. Elle le regarda s'éloigner sachant qu'ils n'avaient plus rien à se dire.

Elle le revit une fois, la veille de la remise des diplômes. Il se contenta de lui jeter un regard sombre avant de lui tourner le dos, et elle traversa le campus seule, en larmes, avec la sensation d'être victime d'une terrible injustice.

Chaque jour, elle se sentait plus malade. Une semaine après que l'école fut finie, le drame éclata. Elle était agenouillée au-dessus de la lunette des toilettes, vomissant tripes et boyaux, quand son frère fit irruption dans la pièce, dont elle avait oublié de verrouiller la porte.

— Pardon... mais que t'arrive-t-il ? Tu es malade ?

Ryan s'était approché, alarmé. Un spasme plus violent que les précédents lui tordit violemment le ventre. Une lueur de compréhension dansa dans les yeux de son frère.

— Nom d'un chien ! Tu es enceinte.

C'était une constatation, pas une question.

Elle demeura un instant prostrée, le front appuyé contre le rebord de porcelaine. Lorsqu'elle parvint à se remettre debout, la physionomie de Ryan s'était muée en un masque de reproches.

— Papa te tuera.

— Qu'est-ce qui te fait penser que je suis enceinte ?

Elle tentait de faire l'innocente, de nier l'évidence, mais Ryan connaissait sa sœur et son opinion était faite.

— Qui est le type ?

— Mêle-toi de ce qui te regarde.

Une nouvelle vague de nausée la plia en deux.

— Tu as intérêt à nous dire son nom, ma belle. Papa l'attrapera par la peau du cou et le forcera à régulariser votre situation. Ah, ça ne va pas traîner.

— Merci pour le conseil.

Doucement, aussi digne que possible, elle sortit de la salle des bains. Maintenant, ses jours étaient comptés... Ryan s'empressa de la dénoncer à leur père l'après-midi même. Bert Robertson rentra à la maison comme une tornade et manqua d'arracher la porte de la chambre de ses filles... Maribeth était allongée sur le lit, Noelle se faisait les ongles en écoutant ses disques favoris. Il empoigna l'aînée, la traîna jusqu'au salon où sa mère attendait... Maribeth avait longuement pesé chaque terme de ses aveux. Elle n'aurait plus à se confesser maintenant, Ryan l'avait devancée.

Sa mère pleurait à chaudes larmes, Ryan exhibait un air buté, comme si elle avait sali son honneur. Son père avait ordonné à Noelle de rester dans la chambre... Débordant de rage et de fureur, il fonça dans le salon et se mit à hurler. Maribeth n'avait rien à envier à ses tantes. Elle s'était comportée comme une traînée, elle les avait déshonorés. Il réclama le nom du « sagouin » qui l'avait mise enceinte... La jeune fille s'était cantonnée dans un silence obstiné. Quoi que son père puisse dire ou faire, elle ne comptait pas desserrer les dents.

Paul Browne lui avait plu, avec son allure de star de cinéma et son charme dévastateur... Hélas, il ne l'aimait pas, puisqu'il s'apprêtait à se marier avec une autre. Maribeth se refusait à ruiner deux autres existences en plus de la sienne. Personne au monde ne parviendrait à lui extorquer son secret.

— Qui est-ce ? Qui est-ce ? vitupérait son père. Tu ne sortiras pas de cette pièce sans m'avoir dit son nom.

— En ce cas, nous resterons tous enfermés ici pendant un bon bout de temps, répliqua-t-elle avec une sérénité dont elle fut la première étonnée.

Le pire était passé. Elle attendait un bébé. Ils le savaient. Et ils n'y pouvaient rien.

— Pourquoi refuses-tu de le nommer ? Qui est-ce ? Un prof ? Un de tes camarades ? Un homme marié ? Un curé ? Un copain de ton frère ? Qui est-ce ?

— Cela n'a guère d'importance, compte tenu qu'il ne m'épousera pas.

Dans l'œil du cyclone, elle affichait une force et un calme dont elle ne se serait pas crue capable.

— Pourquoi pas ? ragea-t-il.

— Parce qu'il ne m'aime pas et que je ne l'aime pas. C'est aussi simple que ça.

— Pas pour moi ! aboya Bert, tandis que sa femme éclatait à nouveau en sanglots en se tordant les mains. Quelle absence de scrupules ! Tu te donnes au premier venu sans même prétexter l'alibi de l'amour. Tu es pire que tes tantes. Elles, au moins, étaient amoureuses des hommes avec lesquels elles avaient couché. Elles les ont épousés. Elles ont mené une vie décente, avec des enfants légitimes... Que vas-tu faire de ce petit morveux ?

— Le faire adopter probablement. A moins que...

— A moins que quoi ? Tu n'as quand même pas le culot d'imaginer qu'on va le garder ici, histoire que la famille Robertson soit la risée de tout le pays ! Il faudra me passer sur le corps, et sur celui de ta mère !

Margaret couvait sa fille d'un regard implorant.

— Rassure-toi, papa, je ne le garderai pas, murmura Maribeth, les yeux embués de larmes. J'ai seize ans et aucun moyen de l'élever. Il mérite une vraie famille.

— Quelle noble pensée ! ricana-t-il. Dommage que tu n'y aies pas songé avant de commettre l'irréparable. Regarde ton frère ! Il a eu un tas de petites amies et pourtant il n'en a mis aucune enceinte. Et regarde-toi. Seize ans et ta vie est déjà fichue.

— Pas forcément... Je peux suivre des cours chez les religieuses et retourner à l'école en décembre, après la naissance du bébé. Je serai de retour après les vacances de Noël. Vous n'avez qu'à faire courir le bruit que j'ai été malade.

— Vraiment ? Elle est charmante, ton idée, mais les colporteurs de potins auront du mal à l'avaler. Toute la ville fera bientôt des gorges chaudes de tes frasques. Tu nous fais honte, Maribeth. Tu as jeté le déshonneur sur notre famille.

Elle le regarda, éplorée.

— Alors que me proposes-tu, papa ? Que dois-je faire, selon toi ? Mourir ? Disparaître ?

Elle sanglotait à présent, mais pas un muscle ne bougea sur le visage glacial de son père.

— Tu iras accoucher chez les sœurs, qui trouveront des parents adoptifs au bébé.

— Veux-tu que j'aille vivre au couvent ? interrogea-t-elle, en priant de toutes ses forces pour qu'il la laisse rester à la maison.

— Il est hors de question que tu restes ici, trancha-t-il d'un ton sec, lui ôtant tout espoir. Tu iras chez les Sœurs de la Charité. Tu renonceras à tes droits sur le petit et tu le leur laisseras. Après seulement tu pourras revenir... Jusque-là, je ne veux plus te voir, ajouta-t-il en lui décochant le coup de grâce. Et j'interdirai à ta mère et à ta sœur de te rendre visite.

L'espace d'une seconde, elle crut que ces déclarations la tueraient.

— Ce que tu as fait est aussi dégradant pour toi que

pour nous tous. Tu as traîné notre nom dans la boue, trahi notre confiance. Tu as porté atteinte à notre dignité et à la tienne, Maribeth. N'oublie jamais ça.

— Mais quel crime ai-je donc commis ? Je ne vous ai jamais menti. Jamais trahis, comme tu as l'air de le penser. J'ai été seulement stupide... Une seule fois... Je le paye déjà assez cher, tu ne crois pas ? Je vais devoir renoncer à mon bébé et vivre avec ce remords jusqu'à la fin de mes jours. N'ai-je pas été suffisamment punie ?

— Ceci est une affaire entre Dieu et toi. Dieu t'a punie. Pas moi.

— Tu es mon père. Tu m'envoies loin d'ici en déclarant que tu refuses de me revoir tant que je n'aurais pas abandonné mon enfant... Et tu interdis à ma mère et à ma sœur de me voir.

Jamais sa mère n'oserait transgresser l'ordre du chef de famille. Ils avaient tous fermé la porte sur elle, Paul le premier. Elle se sentait complètement seule, maintenant.

— Ta mère est libre d'agir comme bon lui semble, bougonna-t-il d'un ton incertain.

— A condition que cela te fasse plaisir, rétorqua Maribeth, une pointe de défi dans la voix, ce qui acheva d'exacerber la colère de son père.

— Tout ce que je sais, c'est que tu nous as déshonorés, fulmina-t-il. N'espère pas que, de surcroît, j'accepte ton bâtard dans ma maison. Tu n'as plus rien à attendre de moi, Maribeth. Puisque ce garçon n'a pas l'intention de t'épouser, je ne peux plus rien pour toi.

Il sortit de la pièce et revint cinq minutes plus tard. Maribeth n'avait pas eu la force de repartir dans sa chambre. Son père lui signala qu'il avait passé deux coups de téléphone. Le premier à leur médecin, le second au couvent. Le coût d'un séjour de six mois, jusqu'à l'accouchement, s'élevait à huit cents dollars. La mère supérieure avait assuré M. Robertson que sa fille ne pouvait tomber en de meilleures mains. L'accouchement aurait lieu à l'infirmerie du couvent et serait mené à terme par un obstétricien assisté d'une sage-femme. Le bébé serait confié à une famille adoptive respectable, après quoi, à moins de complications inattendues, sa fille serait libre de rentrer à la maison.

M. Robertson et la supérieure s'étaient déjà mis d'accord pour y expédier Maribeth au plus tôt, et il lui tendit une enveloppe pleine de billets crissants, sans l'ombre d'une émotion sur son visage de marbre. Sa mère s'était retirée en larmes dans sa chambre.

— Tu as fait beaucoup de peine à ta mère, continua-t-il d'un ton lourd de reproches. Inutile d'expliquer à Noelle la cause de ton départ. Tu t'en vas, tu reviens dans six mois, elle n'a pas besoin d'en savoir plus. Je te conduirai au couvent demain matin. Maintenant, va boucler tes bagages.

Le sang de Maribeth s'était glacé dans ses veines. Tout s'était passé si vite ! Evidemment, si Paul avait volé à son secours, s'il avait bien voulu l'épouser à la place de Debbie..., mais non ! C'était trop tard. Son père la chassait de la maison. Demain matin, elle ne serait plus là, telle avait été sa sentence.

— Qu'est-ce que je vais dire à Noelle ? murmura-t-elle péniblement, mortifiée à la pensée de se séparer de sa petite sœur.

— Dis-lui que tu as changé d'école. Raconte-lui n'importe quoi, sauf la vérité. Elle est trop jeune pour comprendre.

Tête basse, anéantie, Maribeth regagna sa chambre. Sous le regard intrigué de sa cadette, elle rassembla quelques effets personnels. Les religieuses lui procure-raient plus tard des vêtements de grossesse.

— Qu'est-ce que tu fais ?

Elle lut la panique dans les yeux de Noelle. Celle-ci avait entendu les éclats de voix en provenance du salon sans parvenir à distinguer les propos échangés. Et maintenant, Maribeth lui faisait l'effet d'une morte.

— Je m'en vais quelques temps.

Elle n'en dit pas plus, elle ne le pouvait pas. Noelle

s'était dressée d'un bond et la bombardait de questions. Mais où ? pourquoi ? comment ? Elle finit par balbutier une vague réponse au sujet d'un pensionnat, parce que les notes du dernier trimestre n'étaient pas aussi élevées que d'habitude, mais la petite fille s'était cramponnée à son bras en pleurant.

— Je t'en supplie, Maribeth, ne pars pas. Ne le laisse pas t'envoyer loin de nous... quoi que tu aies fait, ça ne mérite pas cette injustice. Moi je te pardonne. Et je t'aime... ne pars pas, ne pars pas, je t'en prie, ne pars pas.

Noelle ne pouvait compter que sur Maribeth, elle le savait. Seule Maribeth prêtait une oreille attentive à ses problèmes. Leur mère, trop faible, trop soumise à leur père, n'était d'aucun secours, et Ryan se prenait pour le nombril du monde... Enlacées, les deux sœurs versèrent un flot de larmes, avant de s'endormir, serrées l'une contre l'autre sur le même lit. Le matin vint trop vite. Il était neuf heures quand Bert Robertson mit la valise de sa fille dans sa camionnette... Maribeth s'approcha de sa mère, qui se tenait devant la maison.

— Je t'aime, maman, chuchota-t-elle d'une voix étranglée.

Margaret la serra dans ses bras.

— Je viendrai te voir, ma chérie. Je te le promets.

Ce fut le tour de Noelle, qui pleurait sans retenue.

— Chut... arrête, murmura Maribeth luttant contre son propre chagrin. Ça ne sera pas long. Je serai de retour aux alentours de Noël.

— Je t'aime, Maribeth, s'écria sa petite sœur, tandis que le véhicule démarrait.

Ryan était sorti un peu plus tôt. Il s'était contenté d'un vague signe de la main, sans même un mot d'adieu.

Les murs du couvent apparurent, tandis que la camionnette remontait l'allée vers l'entrée principale. Son père descendit de voiture, alors que, sa valise à bout de bras, Maribeth gravissait les marches de pierre.

— Prends soin de toi, dit-il.

Elle hocha la tête. Aucun remerciement ne put
franchir ses lèvres. Il aurait pu montrer plus de
gentillesse, plus d'indulgence. Il aurait pu essayer de
comprendre une erreur de jeunesse, si grave fût-elle,
mais il n'en était pas capable.

— Je vous écrirai.

— Donne des nouvelles à ta mère. Elle s'inquiète
pour toi.

« Et toi, tu t'inquiètes ? » aurait-elle voulu hurler,
mais elle savait que c'était inutile, qu'il ne répondrait
pas.

— Je t'aime, fit-elle dans un murmure cependant
qu'il dégringolait rapidement les marches grises.

Il ne se retourna pas. Une fois dans la camionnette, il
agita la main en un vague au revoir, après quoi il
démarra en trombe. Maribeth fit sonner la cloche de
l'austère édifice.

L'attente fut si longue qu'elle faillit prendre ses
jambes à son cou. Mais elle se morigéna. Où irait-elle ?
On ne voulait pas d'elle à la maison avant que tout soit
terminé... Enfin, une jeune religieuse vint ouvrir.
Maribeth lui dit son nom. Avec un hochement de tête,
la nonne prit sa valise et s'effaça pour la laisser passer,
avant de refermer d'une poussée la lourde porte de fer
sur le monde extérieur.

3

Le couvent des Sœurs de la Charité évoquait un
vaste et sinistre mausolée où Maribeth découvrit très
vite que deux autres pensionnaires attendaient d'expier
leur faute. Venues de villes avoisinantes, toutes deux
étaient déjà très avancées dans leur grossesse et
devaient accoucher dans les jours à venir. En effet,
l'une d'elles, une pâle et nerveuse adolescente de dix-
sept ans, eut son bébé le lendemain de l'arrivée de
Maribeth : une petite fille immédiatement dirigée vers
sa famille d'adoption. La jeune mère n'avait même pas
été autorisée à jeter un regard à son bébé... Maribeth
ne put que détester ces procédés barbares ; on eût dit
que leur secret était comme une souillure qu'il convenait de cacher à la face du monde... L'autre fille, âgée
de quinze ans, attendait d'un instant à l'autre la
délivrance. Elle et Maribeth prenaient leurs repas au
réfectoire en même temps que les nonnes, se rendaient
régulièrement à la chapelle à l'heure des prières et à
vêpres... Le règlement leur défendait de s'adresser la
parole, en dehors de quelques rares moments dans la
journée. Ce fut lors d'un de ces apartés furtifs que la
jeune pensionnaire se confia à Maribeth : le père de
son enfant était son propre oncle... L'adolescente était
terriblement malheureuse et redoutait par-dessus tout
les douleurs de l'enfantement.

La cinquième nuit de son séjour au couvent, Maribeth fut réveillée par des hurlements... Ils se poursuivirent deux jours durant, tandis que les bonnes sœurs couraient dans tous les sens. Finalement, la parturiente fut transportée à l'hôpital le plus proche pour y subir une césarienne. Non, elle ne reviendra pas, fut-il répondu à Maribeth, quand celle-ci s'enquit du sort de son amie. Incidemment, elle apprit qu'elle avait mis au monde un petit garçon.

Elle était seule avec les sœurs, à présent. Dans le silence de la nuit, elle priait pour que d'autres pécheresses viennent bientôt lui tenir compagnie. Pour toute distraction, elle lisait le journal local qu'elle dévorait d'un bout à l'autre chaque fois qu'elle en avait l'occasion. Deux semaines après son arrivée, la rubrique mondaine annonça le mariage de M. Paul Browne et de Mlle Debbie Flowers... La solitude de sa cellule monacale ne lui apparut alors que plus noire, plus terrifiante. Elle resta un long moment à fixer l'article. Les deux tourtereaux convolaient en justes noces, tandis qu'elle se trouvait entre quatre murs, enterrée vivante, seule à payer le prix d'un moment d'égarement sur la banquette d'une Chevy... C'était injuste. Inadmissible. Soudain, elle sut qu'elle ne resterait pas au couvent, pas une minute de plus.

Tant pis si elle n'avait personne pour l'accueillir. Tout lui semblait préférable à cette atmosphère lugubre. Elle avait déjà versé cent dollars aux religieuses, et il lui en restait sept cents. Dans six mois, elle mettrait au monde le petit être qu'elle portait. Six longs mois. Mais elle n'attendrait pas que d'autres prisonnières viennent adoucir sa solitude, ni que le temps passe, jour après jour. Elle avait besoin d'un gîte plus humain, d'une existence moins austère, d'un emploi, d'amis. De l'air frais, des voix, du bruit, du monde. Ici, tout semblait étudié pour mieux vous oppresser. Pour mieux vous écraser sous l'insoutenable fardeau de votre culpabilité. Maribeth passa la nuit à réfléchir. Il y avait sans doute une signification à découvrir, une conclusion à tirer, une joie à partager avec quelqu'un dans ce qui lui arrivait... Elle amorçait un tournant capital de sa vie, il fallait le vivre pleinement, au lieu de s'étioler dans la tristesse et les prières. Le lendemain après-midi, elle demanda une autorisation de sortie à la mère supérieure.

— Pour aller voir une tante, prétexta-t-elle.

Le surlendemain, à l'aube, elle se tenait devant la lourde porte de fer, qui s'était bruyamment refermée derrière elle, un bagage à bout de bras et son argent au fond de son sac ; une inextinguible soif de liberté au cœur... et la volonté d'explorer le monde. Elle n'avait jamais éprouvé auparavant ce goût de l'aventure. Une partie d'elle-même se languissait de sa famille, de sa maison... L'autre partie, plus téméraire, l'incitait à prendre son envol, à chercher du travail et à trouver un logement où elle attendrait la naissance du bébé. Ses pas la conduisirent vers la gare routière. Elle acheta un billet de bus pour Chicago.

En attendant le départ, elle envoya deux cartes postales, à sa mère et sa sœur. Peu après, installée dans l'autocar, elle regarda s'estomper au loin les toits de sa ville natale, et se sentit assaillie par une allégresse incommensurable, proche de la jubilation.

— Vous allez à Chicago, mademoiselle ? s'enquit le chauffeur.

— Peut-être, répondit-elle, le sourire aux lèvres.

Elle était libre. Elle n'avait de comptes à rendre à personne ; elle n'était plus enchaînée qu'au bébé qu'elle sentait grandir en elle. Elle était enceinte de trois mois et demi maintenant. Cela ne se voyait pas encore mais, chaque jour, de nouvelles transformations s'opéraient dans son corps. Quand les gens découvriraient son état, elle aurait certainement une explication à leur fournir, elle avait le temps d'y penser. Le plus urgent, c'était le travail. Elle passa en revue les métiers qu'elle pourrait exercer tout de suite : femme de ménage, vendeuse de librairie, baby-sitter, serveuse... Heureusement, elle disposait de la somme que son père lui avait remise pour le couvent... Le bus fit une halte à Omaha. Une légère brise atténuait la chaleur suffocante. Maribeth avait eu mal au cœur durant l'interminable trajet. Elle se sentit mieux après avoir mangé un sandwich. Certains passagers s'en furent, d'autres montèrent. La plupart descendaient à la ville suivante. Seule Maribeth allait jusqu'au terminus.

Le soir, ils firent une nouvelle halte dans une petite localité pittoresque aux rues propres et nettes, tracées au cordeau. C'était une ville universitaire, à en juger par les groupes de jeunes qui avaient envahi le restaurant où ils s'arrêtèrent pour dîner. « Sympathique », songea Maribeth en s'asseyant à une table. C'était même mieux que ça, décida-t-elle à la fin du repas, conquise par le sourire du jeune portier et la gentillesse de la serveuse... Les rires des clients ajoutaient à la gaieté générale. Maribeth se régala d'un énorme cheeseburger arrosé d'un milk-shake pour un prix modique. C'est presque à contrecœur que la jeune fille traversa ce joyeux relais pour reprendre l'autocar. Et c'est alors qu'elle vit l'écriteau en carton sur la vitre : « Cherche serveuses et garçons de salle »...

Elle fit demi-tour.

La femme qui l'avait servie à table lui demanda si elle avait oublié quelque chose.

— Je me demandais si... je... euh, j'ai vu votre annonce... je veux dire...

— Que vous cherchez du travail ? sourit l'autre. Il n'y a pas de honte à cela. Le salaire est de deux dollars par jour, plus les pourboires. Nous travaillons six jours par semaine à tour de rôle, de manière à pouvoir nous occuper de nos gosses. Etes-vous mariée ?

— Non... si... c'est-à-dire, je l'ai été. Mon mari est mort en Corée.

— Désolée, murmura son interlocutrice avec un accent de sincérité tout en scrutant le visage de l'arrivante.

Un visage ouvert, honnête et plaisant. Elle devait être très jeune, se dit-elle, émue.

— Merci, marmonna Maribeth. A qui dois-je m'adresser pour la place ?

— A moi. Avez-vous déjà travaillé dans un restaurant ?

Une infime hésitation altéra un instant les traits de Maribeth, qui opta finalement pour la vérité.

— Non. Mais j'ai vraiment besoin de gagner ma vie.

Ses mains s'étaient mises à trembler. « Pourvu qu'elle m'engage ! » pria-t-elle de toutes ses forces, les doigts crispés sur la lanière de son sac. Cet endroit offrait infiniment plus de sécurité qu'une ville aussi tentaculaire que Chicago.

— Où habitez-vous ?

— Nulle part encore. (Son sourire juvénile alla droit au cœur de l'autre femme.) Je suis arrivée par le bus. Si vous voulez de moi, j'irai prendre mon bagage et je chercherai une chambre. Je peux commencer demain.

La serveuse hocha la tête. Elle s'appelait Julie et l'air modeste de Maribeth lui avait plu tout de suite.

— Allez donc chercher votre bagage, dit-elle avec un chaleureux sourire. Je vous offre l'hospitalité pour ce soir. Mon fils est en visite chez ma mère à Duluth. Vous pouvez avoir sa chambre, si vous supportez le désordre. Il a quatorze ans et se complaît dans la crasse... Ma fille a douze ans. Je suis divorcée. Quel âge avez-vous ?

— Dix-huit, mentit Maribeth par-dessus son épaule, tout en courant retirer sa valise du bus.

Elle réapparut quelques minutes plus tard, le souffle court.

— Cela ne vous dérangera pas si je reste chez vous cette nuit ? Vous en êtes sûre ?

— Certaine. (Julie lui lança un tablier.) Allez, au

travail. Aidez-moi à débarrasser les tables. Je termine mon service à minuit.

Pendant une heure et demie, Maribeth transporta des plateaux chargés de piles d'assiettes et de lourds pichets à vin. A la fermeture, elle tenait à peine debout. Le personnel se composait de quatre autres serveuses qui avaient entre trente et quarante ans, ainsi que de quelques garçons, lycéens en quête d'argent de poche, qui avaient l'âge de Maribeth. Quant au patron, on le voyait rarement. Il avait eu un infarctus et depuis, il ne venait au restaurant que le matin ainsi que un ou deux après-midi par semaine. Ce qui ne l'empêchait pas, au dire de Julie, de mener son petit monde à la baguette. Son fils exerçait les fonctions de chef cuisinier. Julie était sortie quelques fois avec lui, mais ça n'avait rien donné, confia-t-elle à sa nouvelle amie. Il était surchargé de travail et quant à elle, ses responsabilités de mère de famille ne lui laissaient guère de temps pour le moindre petit flirt. Tout ce qu'elle gagnait, jusqu'au dernier sou, elle le dépensait pour les enfants : chaussures, habits, livres, honoraires de médecin, sans parler de toutes sortes de gadgets dont elle se serait bien passée.

— Elever des gosses, ce n'est pas rien, déclara-t-elle, tandis qu'elle ramenait Maribeth à la maison en voiture. Si j'avais su, je n'aurais peut-être pas divorcé. Les enfants ont besoin de leurs deux parents, croyez-en mon expérience. Si jamais je tombe malade, qui s'occupera d'eux ? Notez, les filles du restaurant sont sympas, elle les ont souvent gardés quand, par hasard, j'avais un rendez-vous. Et le mari de Martha emmène souvent mon garçon à la pêche... Hélas, ça ne suffit pas. Je porte tout sur mes épaules. Parfois, j'ai l'impression que la fatigue me tuera.

Maribeth l'écoutait avec une attention sans faille. A plusieurs reprises, elle eut envie de parler à Julie du bébé, mais elle garda le silence.

— Dommage que votre mari ne vous ait pas laissé un petit en souvenir, continua Julie dans un soupir, oubliant qu'un instant plus tôt elle s'était longuement apitoyée sur son sort de femme seule. Mais vous êtes jeune. Vous referez votre vie. A quel âge vous êtes-vous mariés ?

— A dix-sept ans. Dès que nous avons fini le lycée. Nous sommes restés ensemble un an.

— Quelle malchance, mon pauvre chou, compatit la conductrice, avant de garer sa voiture en bas d'un petit immeuble.

Ses fenêtres donnaient sur la cour. Sa petite fille dormait à poings fermés quand Julie et son invitée entrèrent dans l'appartement.

— Je n'aime pas la laisser seule, murmura la maîtresse de maison. D'habitude son frère est là. Heureusement, il y a les voisins qui prêtent l'oreille. Parfois, elle m'accompagne au restaurant mais le patron n'aime pas trop ça.

Julie vivait seule depuis une dizaine d'années — ses enfant avaient respectivement deux et quatre ans, quand elle avait divorcé.

— J'aime bien cette ville et je crois que vous l'aimerez aussi. Les habitants sont paisibles, leurs gamins bien élevés. *Chez Jimmy* est la cantine des étudiants. Vous allez bien vous entendre avec eux, vous verrez.

Elle montra à Maribeth la salle de bains, puis la chambre de Jeffrey, son aîné. Celui-ci resterait chez sa grand-mère pendant deux semaines et Julie proposa à sa compagne d'occuper les lieux jusqu'à ce qu'elle trouve un logement.

— Si vous n'avez rien d'ici-là, je prendrai Jessica avec moi quand Jeffrey reviendra et vous dormirez dans son lit. Mais je suis sûre que vous trouverez facilement quelque chose. Avec le va-et-vient des étudiants, il y a souvent des chambres qui se libèrent.

Elle avait raison. Dès le lendemain vers midi, Maribeth avait sa propre chambrette : une minuscule pièce ensoleillée, agréablement décorée, tout en rideaux et coussins de chintz. Le loyer était raisonnable et la maison tout près de *Chez Jimmy*. Maribeth poussa un soupir de soulagement quand elle déposa sa valise sur le plancher de sa nouvelle demeure. A peine arrivée, voilà que tout semblait s'arranger avec une facilité déconcertante. Sur le chemin du restaurant, elle posta un mot à ses parents. Elle avait inscrit sa nouvelle adresse derrière l'enveloppe... En glissant la lettre dans la boîte, elle eut une pensée pour Paul et ses yeux s'embuèrent.

Au restaurant, une serveuse lui tendit ce qui serait désormais son uniforme : une robe rose à manches longues et poignets blancs, un tablier immaculé. Cet après-midi-là, son carnet à la main, Maribeth prit ses premières commandes. Les clients lui jetaient des regards admiratifs, tout comme le cuisinier, mais personne n'eut le moindre mot déplacé, et chacun la traita avec respect. Les autres serveuses, qui avaient appris qu'elle était veuve, se montrèrent gentilles et amicales avec elle.

— Comment ça va, petite ? s'enquit Julie plus tard dans la journée.

Maribeth l'avait épatée. Elle avait travaillé sans relâche. Ses manières affables l'avaient rendue sympathique aux yeux des clients. Quelques-uns voulurent connaître son nom. Jimmy eut l'air de l'apprécier également. Il était passé dans l'après-midi et la nouvelle serveuse lui avait fait la meilleure impression. Intelligente, propre et honnête. Jolie, qui plus est, ce qui ne gâchait rien, Jimmy choisissait ses serveuses d'après leur caractère. Il importait avant tout de mettre le client à l'aise. Un sourire, un mot aimable mettaient le client à l'aise. Maribeth correspondait parfaitement à cette image.

Cette nuit-là, elle gagna sa nouvelle chambre, épuisée. Un rapide bilan de la situation avant de s'endormir lui rendit tout son optimisme. Elle avait eu beaucoup de chance. A présent, elle allait prendre son destin en main. Tout en servant au restaurant, elle emprunterait des livres à la bibliothèque de l'université, afin de poursuivre ses études. Elle ne permettrait pas à une erreur de jeunesse de détruire sa vie. Sa décision était prise : ces mois s'annonçaient éprouvants, mais rien ne pourrait la détourner de son but.

Le lendemain, elle travaillait de nuit. Elle était en train de passer l'éponge sur la toile cirée d'une table quand un jeune homme au visage sérieux entra dans le restaurant.

— Il vient souvent dîner ici, commenta Julie. Le pauvre chéri ne doit pas être heureux chez lui. Il est bien élevé mais ne dit pas un mot, ne sourit jamais. Quelque chose a dû lui arriver, peut-être a-t-il perdu sa maman quand il était petit, qui sait ? Il a les yeux les plus tristes du monde... Tenez, allez le servir, vous en apprendrez peut-être plus que moi.

— Bonsoir, avez-vous choisi ? demanda Maribeth.

Il avait à peine jeté un coup d'œil au menu, car il connaissait par cœur tous les plats.

— Le numéro deux, merci. Pain de viande au four et purée de pommes de terre.

Il aimait les cheveux roux de la nouvelle serveuse, bien qu'il s'efforçât de ne pas trop le montrer.

— Salade de maïs ou d'épinards ?

— De maïs, merci.

Il ne l'avait encore jamais vue ici, et Dieu sait s'il venait souvent. Trois ou quatre fois par semaine, parfois même le week-end. La nourriture, simple et pas chère, le satisfaisait pleinement. De toute façon, depuis que sa mère avait déserté la cuisine, il n'avait pas le choix.

— Café ?

— Un verre de lait. Et une tarte aux pommes.

Elle sourit.

— Elles sont vraiment bonnes.

— Je sais, je prends quasiment tous mes repas ici. Vous êtes nouvelle, n'est-ce pas ?

Il devait avoir son âge, calcula-t-elle.

— Oui. Je viens juste d'emménager dans le quartier.

— Quel est votre nom ?

Il avait des manières directes. Une profonde gentillesse émanait de toute sa personne. Mais Julie avait raison, le chagrin obscurcissait ses yeux. On aurait dit deux gouffres pleins de tristesse, ce qui le rendait attachant, presque pathétique.

— Maribeth.

— Je m'appelle Tom. Ravi de vous connaître.

— Merci.

Elle partit en direction de la cuisine où elle subit les taquineries de Julie, qui prétendit ne jamais l'avoir entendu parler à quelqu'un aussi longtemps, et revint vers la table avec le verre de lait.

— D'où venez-vous ? demanda-t-il.

Et lorsqu'elle le lui dit :

— Puis-je vous demander ce qui vous a poussée à vous établir dans cette ville, ou est-ce trop indiscret ?

— Un tas de choses... J'aime bien cet endroit. Les gens sont charmants, le restaurant superbe, et j'ai trouvé une chambre à deux pas. Tout a l'air de me réussir ici, ajouta-t-elle, surprise de se confier aussi facilement à un inconnu.

Lorsqu'elle lui apporta son dîner, il parut plus enclin à discuter qu'à se nourrir. Peu après, il lui avoua sa passion pour la pêche.

— Vous pourriez venir avec moi un jour, jeta-t-il, rougissant jusqu'aux oreilles, comme s'il avait honte d'en avoir dit autant.

Il la suivit du regard, tandis qu'elle s'éloignait en direction d'une autre table. Sapristi, mais qu'est-ce qui lui avait pris ? Dès l'instant où il l'avait vue, il avait été incapable de cesser de la dévisager une seconde.

Il lui laissa un pourboire substantiel.

— Merci pour tout. A bientôt.

Elle le regarda sortir, très grand, mince, bien bâti... Séduisant, aussi, mais sans avoir l'air de s'en rendre compte. Et si jeune... Maribeth avait tendance à le considérer plutôt comme un frère que comme un flirt potentiel. Un petit frère qu'elle aimerait bien revoir.

Il revint le lendemain. Le jour suivant, il découvrit, dépité, que Maribeth avait pris son jour de congé. Il ne revint au restaurant que la semaine suivante.

— Vous m'avez manqué, la dernière fois, dit-il en commandant du poulet frit.

Il semblait doté d'un solide appétit. On eût dit qu'il dépensait tout son pécule en nourriture.

— Vous vivez seul ? lui demanda-t-elle timidement alors qu'elle remplissait de nouveau son verre de lait.

Elle ne l'avait pas noté sur l'addition. Après tout, la maison offrait bien le café à certains clients réguliers. Ce n'est pas un verre de lait qui ruinerait Jimmy, s'était-elle dit.

— Pas vraiment. Je vis avec mes parents. Mais... euh... chacun mène sa propre barque. Maman ne veut plus faire la cuisine. Elle compte recommencer à travailler à la rentrée. Elle est professeur de lycée. Elle avait réduit ses horaires pendant un bon bout de temps. Actuellement elle a envie de reprendre à plein temps.

— Quelles matières enseigne-t-elle ?

— Anglais, histoire, littérature. Elle est très forte, vous savez ! Elle me donne toujours des exercices supplémentaires, ajouta-t-il en faisant la grimace.

— Vous en avez de la chance ! J'ai dû quitter l'école pendant un certain temps et je ne sais pas comment combler mes lacunes.

— Le lycée ou l'université ? s'enquit-il en s'efforçant de deviner son âge.

Elle n'hésita pas plus d'une seconde.

— Le lycée, répondit-elle. Il va falloir que je travaille toute seule, si je veux rattraper mon retard pour Noël, quand j'y retournerai.

Il se demanda pourquoi elle avait interrompu ses études mais n'osa pas le lui demander.

— Je peux vous prêter quelques livres, si vous voulez. Maman vous donnera volontiers du matériel, elle adore ça. Elle pense que tout le monde a le droit, le devoir même, d'accéder aux études supérieures. Vous aimez l'école ?

Elle fit oui de la tête, et une flamme qui ne trompait pas dansa dans ses prunelles. Apprendre était pour elle un besoin vital.

— Et vous ? Quelle est votre matière préférée ? questionna-t-elle en lui servant la tarte aux myrtilles qu'il avait demandée.

— L'anglais, répliqua-t-il. Littérature anglaise, composition anglaise. J'aurais bien voulu devenir écrivain. Maman serait d'accord. Papa préférerait me voir prendre sa suite dans les affaires.

— Quel genre d'affaires ?

Il avait un esprit vif, mais paraissait tellement seul ! Il n'était jamais venu avec des amis et n'avait jamais l'air pressé de rentrer chez lui.

— Il est dans la distribution de produits alimentaires. C'est mon grand-père qui en a eu l'idée. Ils étaient fermiers. Ils ont commencé à vendre leurs propres produits, puis ceux des voisins. Etre homme d'affaires est intéressant, certes, mais l'écriture est ma véritable vocation. Ou alors je deviendrai prof, comme maman.

Il eut un petit haussement d'épaules attendrissant, puis s'enquit du prochain jour de congé de Maribeth.

— Vendredi.

Il parut s'abîmer dans un dilemme sans fond, après quoi il murmura :

— Aimeriez-vous qu'on se voie vendredi après-midi ? Le matin, je dois aider papa, mais je suis libre à deux heures. Il me prêtera la camionnette... Nous pourrions aller nager dans la crique ou dans le lac... Ou alors aller à la pêche.

Il attendit la réponse, les yeux pleins d'espoir.

— Oui, c'est une bonne idée.

Elle lui donna son adresse sans l'ombre d'une hésitation. Il faisait partie des personnes qui, d'emblée, suscitent la confiance. Dès le premier jour, elle avait su que Tommy Whittaker était son ami et qu'il ne lui ferait jamais aucun mal.

— Alors, ça y est ? s'exclama Julie, dans la cuisine. Vous avez pris rendez-vous ?

L'une des serveuses avait surpris la fin de leur conversation et la nouvelle avait fait le tour de l'établissement comme une traînée de poudre. Chacune des filles y allait de son commentaire en gloussant. Elles aimaient bien la petite nouvelle...

— Pas du tout ! riposta Maribeth, l'air détaché. Je ne sors pas avec les clients.

Julie lui adressa un clin d'œil complice.

— Pourquoi pas ? Jimmy s'en fiche... Ecoutez, mon chou, Tommy est un gentil garçon et vous lui plaisez infiniment.

— C'est un ami et rien de plus. Selon lui, sa mère déteste faire la cuisine, c'est pourquoi il a pris l'habitude de dîner au restaurant.

— Mais il vous a raconté l'histoire de sa vie, ma parole ! pouffa Julie.

— Pour l'amour du ciel ! fit semblant de gronder Maribeth.

Elle s'empara d'un plateau de hamburgers destinés à un groupe d'étudiants et sortit de la cuisine, la tête haute. Et tandis qu'elle se dirigeait vers la tablée bruyante, munie de son fardeau, elle se surprit à sourire en pensant au vendredi suivant.

4

Le vendredi, Tommy se libéra à onze heures du matin. A onze heures et demie, il se garait devant l'immeuble de Maribeth. Celle-ci avait revêtu un vieux blue-jean, une ample chemise flottante ayant appartenu à son père, et chaussé de solides chaussures de marche. Elle avait enroulé les jambes du pantalon jusqu'aux genoux, s'était fait une raie au milieu et avait retenu ses cheveux flamboyants par deux barrettes, ce qui lui donnait l'air d'une gamine de quatorze ans. Les pans de la chemise dissimulaient son ventre arrondi. Il y avait près d'une semaine qu'elle n'arrivait plus à fermer son jean.

— Salut ! J'ai fini plus tôt que prévu. J'ai dit à papa que j'allais à la pêche et il a trouvé l'idée géniale.

Il l'aida à grimper dans la camionnette. Sur le chemin, ils s'arrêtèrent dans un supermarché pour acheter de quoi pique-niquer. Sandwiches au rosbif et au thon, canettes de coca-cola, boîte de cookies.

— Rien d'autre ? demanda Tommy d'une voix vibrante d'excitation.

Maribeth alliait la fraîcheur de la jeunesse à une sorte d'assurance d'adulte. Le fait de vivre seule, loin de sa famille, contribuait sans doute à la rendre plus mûre que les adolescentes de son âge... Elle prit au passage deux pommes et une barre de chocolat. Tommy insista pour régler l'addition. Elle avait bien essayé de payer sa part mais il n'avait rien voulu entendre.

— Comment se fait-il que tu sois partie de chez toi si jeune ? lui demanda-t-il, tandis qu'ils roulaient en direction du lac.

Il n'avait pas eu vent de son scénario de veuve éplorée et s'était imaginé qu'il était arrivé quelque chose avec ses parents, un drame suffisamment sérieux pour l'obliger à prendre la fuite... La plupart des jeunes n'abandonnaient pas leurs études en pleine année scolaire.

— Je... euh... je n'ai pas envie d'en parler, bredouilla-t-elle, les yeux fixés sur le paysage. C'est une longue histoire.

Elle avait haussé les épaules, réprimé un frisson. Des souvenirs d'un passé récent l'envahirent et elle se revit dans la voiture de son père, puis au couvent, sinistre prison qu'elle ne regrettait pas d'avoir quittée. Depuis, elle se sentait enfin revivre... grâce à son travail et maintenant à sa rencontre avec Tommy. Leurs rapports n'avaient cessé d'évoluer vers une sincère amitié et ils se tutoyaient à présent... Elle avait appelé ses parents deux fois, mais sa mère s'était contentée de fondre en larmes et avait refusé de lui passer Noelle. La dernière fois, ç'avait été encore pire.

— Ecris-nous mais ne téléphone pas, l'avait suppliée sa mère.

Elle était heureuse d'avoir de ses nouvelles, tout comme Noelle, avait-elle dit, mais son père n'avait pas décoléré. Il ne lui adresserait pas la parole tant que « le problème ne serait pas résolu ». Le problème ! voilà la métaphore qu'utilisaient son père et sa mère pour parler de son bébé.

Maribeth poussa un soupir. Un coup d'œil en biais au conducteur lui dévoila un profil volontaire. Il dégageait cette générosité intrinsèque qui incite aux confidences, mais Maribeth ne se sentait pas encore prête à lui dévoiler la vérité.

— A la suite d'une dispute, mon père m'a mise à la

porte, murmura-t-elle, optant pour une version édulco-
rée des faits. Il aurait préféré que je reste en ville, mais
après deux semaines, ça a été au-dessus de mes forces.
Alors, je suis venue ici et j'ai trouvé un emploi.

Il manquait à son récit la souffrance, la honte, les
larmes, tout ce qu'elle s'efforçait d'oublier.

— Pourtant, tu vas y retourner, fit-il remarquer.

— Oui. Pour reprendre l'école...

La route s'incurvait paresseusement vers le lac.

— Pourquoi ne t'inscris-tu pas au lycée d'ici ?

— Je ne peux pas, répondit-elle simplement, peu
désireuse de se lancer dans des explications compli-
quées. (Puis, changeant brusquement de sujet :) As-tu
des frères et sœurs ? s'enquit-elle, réalisant soudain
qu'elle ne savait presque rien de sa famille.

Il stoppa la camionnette et ses yeux croisèrent ceux
de sa passagère.

— J'avais une sœur, dit-il après un long silence.
Annie. Elle avait cinq ans. Elle est morte à Noël.

Sans un mot de plus, il sauta à terre pour chercher
sa canne à pêche, sous le regard ému de Maribeth.
« Voilà donc la cause de son chagrin », songea-t-elle.
Restait l'énigme de ses relations avec ses parents.

A son tour elle mit pied à terre et le suivit vers une
plage de sable fin. Tommy retira son jean. Il portait un
short de bain en dessous. Elle le regarda déboutonner
sa chemise et l'espace d'une seconde, l'image de Paul
Browne jaillit dans sa mémoire. Il n'y avait pour ainsi
dire aucune ressemblance entre les deux garçons. Paul
appartenait à la catégorie sophistiquée des dandys de
campus — et de toute façon, c'était un homme marié à
présent — tandis que Tommy offrait d'emblée une
impression de candeur et de pureté. Le premier s'était
placé au centre de l'univers, le second incarnait la
générosité... Maribeth se laissa tomber sur le sable
blond, tandis qu'il fixait le hameçon au bout de sa
ligne.

— Comment était-elle ?

Il leva un instant les yeux dans le soleil, puis cligna des paupières en avisant sa compagne.

— Qui ça, Annie ?

Un blocage l'empêchait d'évoquer ce sujet trop douloureux. Peut-être le surmonterait-il grâce à cette fille... Et pas seulement parce qu'elle avait un joli minois, des jambes superbes et un sourire à faire fondre un glacier. Il voulait devenir son ami. La rendre heureuse peut-être. Mais surtout, l'aider à vaincre la fragilité qu'il devinait sous ses airs insouciants.

— Ma petite sœur était la plus jolie gamine qu'on puisse imaginer. Elle avait de grands yeux bleus, des cheveux blond platine. On aurait dit un petit ange... un chérubin qui, à tout instant, pouvait se muer en petit diable. Elle me suivait partout et me harcelait sans cesse de questions. Nous avons fabriqué un gros bonhomme de neige juste avant... avant qu'elle ne meure.

Des larmes lui brouillaient la vue et il secoua la tête. C'était la première fois depuis la mort d'Annie qu'il parlait d'elle à quelqu'un. La douleur le transperça, intacte comme au premier jour.

— Elle me manque, lâcha-t-il d'une voix cassée par la douleur.

Du bout des doigts, Maribeth lui toucha le bras.

— Il n'y a pas de honte à pleurer. Je me doute qu'elle te manque. A-t-elle été malade longtemps ?

— Deux jours. Au début, nous avons cru à un rhume, une grippe ou quelque chose d'approchant. C'était une méningite. Les médecins n'ont rien pu faire. Elle est partie comme ça. Je n'arrêtais pas de penser : « Pourquoi pas moi ? pourquoi elle ? » Pourquoi la mort est-elle venue faucher une toute petite fille qui n'avait fait de mal à personne ? Au contraire, elle nous avait comblés de bonheur. J'avais dix ans quand elle est née, ma pauvre petite poupée...

Il avait lâché la canne à pêche sur le sable chaud et s'était rapproché de Maribeth, en quête d'un peu de réconfort. Bizarrement, il se sentait plus léger. Presque heureux, comme si, en évoquant ses souvenirs, il avait fait revivre Annie l'espace d'un instant. A la maison, on ne prononçait jamais son nom.

— Tes parents ont dû en souffrir terriblement.

— Oh, oui. La terre s'est arrêtée de tourner quand elle est morte. Mes parents ont cessé de se parler. Ils n'ont plus rien à se dire et à moi non plus. Ils ont perdu le sourire, l'envie de faire des projets, de vivre, simplement. Ils ne parlent jamais d'elle. Maman n'entre même plus dans la cuisine, papa reste dehors jusqu'à dix heures du soir. Comme si, sans elle, la maison était vide. Maman a décidé de retravailler à plein temps pour ne plus y penser. Nous avons tous baissé les bras depuis qu'elle n'est plus là... Sa mort a entraîné la nôtre... J'évite de rentrer chez moi. Tout paraît si sombre et déprimant... Je déteste passer devant sa chambre...

Maribeth avait saisi la main de Tom et tous deux s'abîmèrent dans la contemplation du lac.

— Ne sens-tu pas sa présence, quand tu penses à elle ? demanda-t-elle, avec la sensation insolite d'avoir connu Annie.

— Parfois, tard dans la nuit, je me mets à lui parler. Ça peut te paraître fou, mais j'ai souvent l'impression qu'elle m'entend.

Maribeth hocha la tête. Elle avait agi de même après le décès de sa grand-mère et en avait tiré le même soulagement.

— Je suis sûre qu'elle t'entend, Tommy. Qu'elle peut te voir aussi. Peut-être est-elle heureuse, là où elle se trouve. Certaines personnes ont pour mission de traverser nos vies. Elles ne font que passer. Parce qu'elles sont plus avancées que les autres... Elles n'ont pas besoin de traîner cent ans... On dirait... on dirait que ces gens-là arrivent dans nos existences juste pour nous offrir quelque chose. Un don, une bénédiction, une leçon qui nous servira plus tard. Voilà pourquoi ils sont là. Annie t'a sûrement appris quelque chose avant de s'en aller. Elle t'a donné ce précieux présent, après quoi elle était libre de partir. C'était une âme spéciale. Et toi, tu auras toujours l'offrande qu'elle t'a faite.

Il acquiesça en s'efforçant d'assimiler ces paroles. Il les comprenait, bien sûr, mais la compréhension n'avait jamais adouci le chagrin.

— J'aurais aimé qu'elle reste avec nous plus longtemps, soupira-t-il. J'aurais voulu que tu la connaisses. (Il sourit.) Elle m'aurait immédiatement fait part de ses appréciations : « Cette fille te plaît, non ? » ou « Elle est plus jolie qu'une telle, tu ne trouves pas ? » Elle avait une opinion sur tout. Vraiment, elle me rendait fou.

Maribeth éclata de rire.

— Qu'aurait-elle dit de nous, alors ?

C'était un jeu, bien sûr... elle se plaisait en sa compagnie. Leur amitié reposait sur la confiance, décida-t-elle soudain. Ces derniers mois, elle avait appris à ses dépens que l'on ne devait pas accorder sa confiance à n'importe qui, sous peine d'en payer très cher le prix. Elle s'était juré de se méfier des autres... de tous les autres, sauf de Tom Whittaker. Celui-ci était différent, elle l'avait senti tout de suite.

— Elle aurait décrété que tu me plaisais...

Il sourit, et pour la première fois elle remarqua un semis de fines taches de rousseur sur l'arête de son nez. De minuscules points clairs, presque dorés dans la lumière éclatante.

— Et elle aurait probablement eu raison, reprit-il. D'habitude, elle se trompait. (Mais pas cette-fois-ci, se dit-il. Non, pas cette fois-ci, car elle aurait tout de suite décelé la gentillesse de Maribeth. Et sa beauté radieuse.) Elle t'aurait bien aimée, murmura-t-il en s'allongeant sur le sable, les mains derrière la nuque, et en fixant sur la jeune fille un regard empreint d'admiration. Et toi ? Tu n'as pas un petit ami chez toi ?

L'hésitation s'empara de Maribeth. L'histoire du jeune époux perdu pendant la guerre de Corée tombait à point. Mais non, pas maintenant. Pas après que

Tommy se fut montré aussi sincère. Plus tard, peut-être, en cas de nécessité absolue...

— Pas vraiment.

— Ça ne veut pas dire non.

Elle n'hésita plus.

— Je suis sortie une fois avec un garçon. Je croyais qu'il me plaisait. Je me trompais. De toute façon, il vient de se marier.

Il la regarda, intrigué. Un homme plus âgé, alors ?

— As-tu eu de la peine quand il s'est marié ?

— Un peu, sans plus.

Sauf qu'elle portait son enfant. Un bébé qu'elle n'aurait pas les moyens d'élever et dont elle ne voulait pas.

— A propos, quel âge as-tu ?

— Seize ans.

Ils découvrirent que quelques semaines seulement séparaient leurs dates d'anniversaires. Ils avaient exactement le même âge. Et des situations complètement différentes. Lui, au moins, avait encore une famille, une maison, songea-t-elle amèrement. En automne, il retournerait à l'école. Alors qu'elle, dans moins de cinq mois, elle mettrait au monde l'enfant d'un homme qui ne l'avait jamais aimée. La peur refit surface... Heureusement, il avait repris sa canne à pêche. Elle se redressa pour le regarder lancer la ligne vers l'eau frémissante. Au bout d'un moment, il reposa son instrument, puis plongea dans le lac. Elle ne le rejoignit pas.

Après quelques brasses, il revint vers la plage où elle l'attendait et lui demanda pourquoi elle ne l'avait pas suivi. Il faisait chaud, l'eau était fraîche. Elle aurait adoré nager avec lui mais elle ne voulait pas qu'il aperçoive les rondeurs de son ventre. Elle avait gardé la chemise de son père, se bornant à retirer son jean.

— Tu ne sais pas nager ? s'enquit-il.

— Mais si, plaisanta-t-elle, se sentant de plus en

plus ridicule. Seulement je me méfie des lacs. On ne sait jamais sur quel poisson on va tomber.

— Pourquoi tu n'y vas pas ? Ne crains rien, s'il y avait le moindre poisson je l'aurais attrapé.

— Peut-être la prochaine fois, dit-elle sourdement en dessinant du bout de l'index une arabesque sur le sable.

Ils se restaurèrent à l'ombre d'un chêne, puis se remirent à parler de leurs familles, de leur enfance. Maribeth évoqua Ryan et Noelle, décrivit les idées rétrogrades de leur père, selon lesquelles les garçons avaient tous les droits, tandis que les filles n'avaient que celui de se marier et de procréer. Elle ajouta qu'un jour elle serait quelqu'un, professeur, avocate ou journaliste. Et elle finit par déclarer qu'elle était contre les mariages hâtifs, dès la sortie du lycée.

— Je crois entendre ma mère, sourit-il. Elle a laissé attendre papa pendant six ans, une fois ses études secondaires terminées. Elle s'est inscrite à l'université où elle a obtenu une maîtrise. Elle a même enseigné pendant deux ans avant de lui accorder sa main. Ils ont mis sept ans à m'avoir et dix de plus pour concevoir Annie. Ils se sont donné beaucoup de mal pour faire des enfants... N'empêche que maman place les études au-dessus de tout le reste.

— Hélas, je ne peux pas en dire autant de la mienne. Elle est totalement soumise à mon père et proclame, comme lui, que les filles n'ont guère besoin d'aller au collège. Evidemment, ils auraient poussé Ryan à faire des études mais il a préféré travailler avec papa au garage. Il aurait fait la guerre de Corée s'il n'avait pas été réformé. D'après papa, c'est un mécanicien hors pair... (Elle se tut un instant, cherchant fébrilement ses mots, puis reprit :) Je me suis toujours sentie différente du reste de ma famille. J'ai toujours eu des passions dont ils n'avaient que faire. Moi, je veux aller à l'école, apprendre le plus de choses possible, aiguiser mon esprit. Devenir quelqu'un. Je veux mener une vie intéressante plutôt que d'épouser le premier venu pour me retrouver avec une flopée de bambins accrochés à mes jupes. Mes parents, mon frère, presque tous les gens que je connais, me prennent pour une folle.

Pas Tommy, elle le savait. Tommy avait une famille qui avait les idées de Maribeth. En fait, elle avait vécu avec des personnes qui ne lui ressemblaient en rien, avec lesquelles elle n'avait rien de commun. Comme si on l'avait lâchée sur une planète étrangère.

— Je suppose que ma sœur finira par se plier à leurs exigences, poursuivit-elle. Elle a à peine treize ans et elle ne pense qu'à flirter.

Sauf que Noelle ne s'était pas fait engrosser par Paul Browne sur la banquette d'une voiture.

— Tu devrais rencontrer ma mère, Maribeth. Je crois qu'elle te plairait.

— J'en suis sûre... Mais elle ? D'habitude les mères se tiennent sur leurs gardes quand elles rencontrent les filles qui fréquentent leurs garçons...

Il était hors de question de rencontrer Mme Whittaker. Dans un mois, sa grossesse serait visible et elle ne voudrait même plus voir Tommy. Car que lui dirait-elle ? La fable du mari disparu en Corée ? Il méritait mieux que ce mensonge. Pourtant, la vérité risquait de le choquer. Sans doute ne voudrait-il plus la voir. Si on laissait les faits parler d'eux-mêmes Maribeth faisait figure d'écervelée, d'irresponsable, de fille facile... Qu'à cela ne tienne ! Dans quelques semaines, elle lui annoncerait qu'elle voyait quelqu'un d'autre et leur amitié en resterait là. Ensuite, il reprendrait ses études et ne tarderait pas à l'oublier. Et plus tard, il tomberait amoureux de quelqu'un de son milieu, une jeune fille brillante que ses parents approuveraient.

— Hé, à quoi penses-tu ?

La voix de Tom interrompit le flux morose de ses méditations.

— Maribeth, que se passe-t-il ? Tu sembles si abattue, tout à coup. Qu'est-ce qui te tracasse ?

Il avait deviné, dès le début, que quelque chose la tourmentait. Grâce à elle, il était parvenu à surmonter sa répugnance à parler de la mort d'Annie et il avait hâte de lui rendre le même service.

— Rien... non, rien de spécial.

Juste un bébé qui grandissait dans son ventre.

— Viens, on va faire un tour.

Ils suivirent le chemin qui serpentait autour du lac, au ras de l'onde, à travers des couronnes de rochers. Ils débouchèrent soudain sur une longue plage blanche. Il lui proposa de piquer un sprint. Elle releva le défi et ils s'élancèrent dans une course éperdue. Malgré ses longues jambes fuselées, Maribeth ne tint pas longtemps la distance. Tom la dépassa en riant et peu après, ils s'effondrèrent côte à côte sur le sable iridescent, hors d'haleine.

— Tu es une grande sportive, la félicita-t-il.

— J'aurais gagné si je n'avais pas trébuché sur un rocher, répliqua-t-elle dans un rire.

— Trébuché ! Menteuse ! Tu lambinais des kilomètres en arrière.

— Parce que tu as démarré avant moi. Tu n'es qu'un tricheur !

Elle riait toujours. Leurs visages se touchaient presque.

— Pas du tout ! se défendit-il, dévoré par l'envie de l'embrasser.

— Pas grave. Je te battrai la prochaine fois.

— Tu parles ! Tu ne sais même pas nager !

Il aimait la taquiner, rire et se rouler dans le sable avec elle, être en sa compagnie. Il s'était souvent pris à imaginer ce que l'on éprouvait en faisant l'amour avec une femme. Il avait hâte de le savoir, il rêvait de le découvrir avec elle. Mais elle paraissait à la fois si sensuelle, si jeune et innocente, qu'il n'osait la toucher. Il pivota sur son ventre, afin de lui cacher son désir... Maribeth resta étendue sur le dos, avec une expression singulière sur le visage. Elle avait ressenti un drôle d'élancement, une sorte de caresse, comme si des ailes de papillon avaient frôlé l'intérieur de son corps. La sensation était parfaitement inconnue mais elle sut aussitôt à quoi elle correspondait... les premiers signes de la vie... son bébé.

— Ça va ? demanda-t-il en l'observant.

Son visage avait une expression étrange, une sorte d'étonnement.

— Oui, fit-elle doucement.

La réalité l'avait terrassée. Ce bébé était bien là, et elle ne savait plus comment s'en sortir. Elle ignorait encore si elle voulait le garder ou pas. Elle n'avait pas revu de médecin depuis qu'on lui avait confirmé qu'elle était enceinte. Mais elle n'en connaissait aucun ici et n'avait pas les moyens de s'offrir une telle dépense.

— Tu as l'air d'être dans la lune, dit-il.

Oui, quelque chose la tourmentait, il en était convaincu à présent, mais quoi ? Il souhaitait tout savoir sur elle.

— Parfois je pense à des choses... à mes parents... ou à ma sœur.

— Tu ne les appelles jamais ? demanda-t-il, intrigué par le mystère dont elle s'entourait.

— Je leur écris. Cela fonctionne mieux. Les coups de fil ont le don d'attiser la fureur de mon père.

— Il t'en veut donc à ce point ?

— Oui... C'est une longue histoire. Je te la raconterai une autre fois.

— Quand seras-tu libre à nouveau ?

Ils ne s'étaient pas encore quittés et il s'inquiétait déjà de la revoir. Tout en elle l'enivrait ; l'odeur suave de ses cheveux, la douceur qu'il lisait dans ses yeux, le soyeux de sa peau, quand il lui prenait la main ou lui effleurait par hasard la joue ou le bras.

— J'ai deux heures de repos dimanche après-midi. Après, je ne serai pas libre avant mercredi.

— Si nous allions au cinéma dimanche ? fit-il, et son ton plein d'espoir la fit sourire.

Personne ne l'avait jamais emmenée au cinéma. Les garçons, à l'école, ne s'intéressaient pas à elle, à part des petits crétins comme David O'Connor. Elle n'avait jamais eu de rendez-vous avec quelqu'un. Pas même avec Paul...

— Oui, avec plaisir.

— Je passerai te chercher au restaurant. Mercredi, nous reviendrons ici, ou nous irons ailleurs, si tu préfères.

— J'aime bien cet endroit, murmura-t-elle.

Ils restèrent jusqu'à six heures du soir, jusqu'à ce que le soleil se mette à décliner vers l'ouest... Puis ils roulèrent lentement en direction de la ville. Il aurait bien voulu l'inviter à dîner mais il avait promis à sa mère de l'aider à monter une bibliothèque dans le salon. En échange, Liz Whittaker s'était engagée à préparer le repas, ce qui était rare... Elle l'attendait vers dix-neuf heures.

Il était dix-huit heures trente-cinq, quand il se gara devant l'immeuble de Maribeth. Elle descendit de voiture à contrecœur, détestant tout à coup l'idée de le quitter.

— Merci pour ce merveilleux après-midi.

Elle avait vécu les moments les plus heureux de ces dernières années, en compagnie du meilleur ami qu'elle avait jamais eu. La providence l'avait mis sur sa route, comme pour adoucir la douloureuse épreuve qu'elle traversait.

— De rien, sourit-il, debout devant elle, en sondant ses yeux verts et brillants, fasciné par leur éclat, et mourant d'envie de cueillir un baiser sur ses lèvres pleines. Je dînerai au restaurant demain soir. A quelle heure termines-tu ?

— Pas avant minuit.

Depuis que le bébé avait bougé en elle, Maribeth savait que les jours de bonheur avec Tom étaient comptés. Pourtant, elle désirait les vivre pleinement, jusqu'à la fin de l'été.

— Je te ramènerai chez toi après ton travail.

Ses parents ne lui posaient jamais de questions. De toute façon, il pourrait toujours prétendre qu'il était allé à la dernière séance d'un film quelconque.

— Oh, tant mieux ! s'exclama-t-elle.

Elle lui adressa un petit salut de la main, alors qu'il manœuvrait pour faire démarrer la camionnette.

Il souriait encore, lorsqu'il franchit le seuil de la maison, à sept heures moins cinq.

— Qu'est-ce qui t'arrive ? Tu as pêché une baleine dans le lac aujourd'hui ?

Sa mère lui sourit tout en finissant de dresser la table. Elle avait mis au four un rôti de bœuf, le plat favori de son père. Tommy eut l'impression qu'elle avait déployé des efforts particuliers pour leur faire plaisir.

— Non, je n'ai même pas attrapé un poisson rouge ! Juste un coup de soleil, après quelques brasses dans l'eau.

Un fumet appétissant envahissait la maison. Liz avait concocté un menu de choix : entrée de champignons, purée de pommes de terre, salade de maïs doux, la préférée de tous, même d'Annie. La douleur familière qui ne manquait jamais de se manifester chaque fois que le souvenir de sa petite sœur lui traversait la mémoire lui sembla moins aiguë ce soir. Peut-être parce qu'il s'était confié à Maribeth. Il regretta de ne pouvoir partager ce sentiment avec sa mère.

— Où est papa ?

— Il devait être là à dix-huit heures. Je suppose qu'il a été retardé. Je lui ai dit que nous dînions à dix-neuf heures.

Une heure plus tard, John Whittaker n'était toujours pas de retour. Il ne répondit pas quand Liz l'appela à son bureau. Le rôti était trop cuit maintenant, et la bouche de Liz ne formait plus qu'une mince ligne de rage contenue.

Tommy et sa mère se mirent à table à vingt heures cinquante-cinq et à vingt et une heures tapantes, John pénétra dans la maison d'un pas qu'un trop grand nombre d'apéritifs avaient rendu incertain.

— Tiens, tiens ! s'écria-t-il d'un ton jovial. Ma petite femme s'est mise aux fourneaux ! En quel honneur ?

— Tu m'as promis de rentrer à dix-huit heures et je t'ai bien précisé que nous allions dîner une heure plus tard, rétorqua Liz sèchement. Je me suis dit qu'il était peut-être temps que cette famille recommence à prendre ses repas en commun.

Tommy avala péniblement sa salive. La subite décision de sa mère risquait de contrarier ses plans personnels.

— J'ai oublié ! répondit John. Il y a si longtemps que tu n'as pas daigné faire la cuisine que je n'y pensais plus.

Il avait pris place le plus dignement possible, en s'acharnant à dissimuler son état d'ébriété. Il était rare qu'il rentrât ivre. Or, depuis que son existence s'était muée en cauchemar, il ne refusait pas de prendre un whisky ou deux en compagnie de clients ou d'employés.

Sans un mot, Liz lui avait servi une assiette qu'il observa, surpris, lorsqu'elle la lui tendit.

— La viande est trop cuite, chérie. Tu sais bien que je la préfère saignante.

Brutalement, elle lui arracha l'assiette des mains, courut la vider dans la poubelle, avant de la flanquer dans l'évier.

— En ce cas, tâche d'être à l'heure. Le rôti était saignant il y a deux heures, jeta-t-elle, les dents serrées, le dos tourné.

— Liz, je suis désolé.

Elle se retourna pour le fixer d'un air rageur, oubliant la présence de Tommy. De toute façon, ils oubliaient systématiquement qu'il existait. Comme s'il avait disparu en même temps que la petite Annie. Leur désespoir les accaparait trop pour qu'ils se rendent compte qu'ils avaient encore un enfant.

— Oh, mais ça n'a aucune importance, John! glapit Liz. Rien n'a plus d'importance. Nous avons renoncé à tout.

— Nous n'étions pas forcés, intervint Tom doucement, remonté par la conversation qu'il avait eue avec Maribeth. Nous sommes encore là. Annie n'aurait pas approuvé notre conduite. Pourquoi n'essayons-nous pas de passer plus de temps ensemble?... Un peu plus de temps ensemble?

— Dis ça à ton père, riposta Liz froidement.

Elle leur tourna le dos et se mit à faire la vaisselle.

— C'est trop tard, mon garçon.

John tapota l'épaule de son fils avant de s'éclipser.

Liz rangea les assiettes. Puis, sans desserrer les dents, elle entreprit de monter la nouvelle bibliothèque, aidée par Tommy. Elle la destinait aux livres scolaires qu'elle achèterait à la rentrée. La besogne terminée, elle remercia son fils et se dirigea à pas lents vers la chambre à coucher. En l'espace de sept mois, toute sa gentillesse avait fondu pour laisser la place à une sorte de rancœur tenace et glacée. Ses yeux, autrefois si doux, ne reflétaient plus qu'un mélange de désespoir et de regrets. A l'évidence, aucun d'eux ne se remettrait de la mort d'Annie.

John s'était assoupi tout habillé en travers du lit, lorsqu'elle entra dans leur chambre. Elle referma la porte et le contempla un instant avant de détourner la tête. Aucun lien ne l'attachait plus à lui, songea-t-elle. Quelques mois plus tôt, elle avait consulté un gynécologue; il lui avait appris qu'elle n'aurait plus d'enfants. Ce n'était même pas la peine d'essayer. Son dernier accouchement avait provoqué d'importantes lésions. Elle avait quarante-sept ans maintenant et plus aucune chance de redevenir mère. Elle avait toujours eu des difficultés à concevoir, quand elle était plus jeune... Le médecin ne lui avait laissé aucun espoir.

Elle n'avait plus jamais eu de rapports sexuels avec son mari depuis la dernière étreinte, la veille du jour fatidique où Annie était morte. Elle s'en était voulu, en avait tenu rigueur à John. A présent l'idée de l'approcher lui répugnait. Liz avait l'impression que son amour pour les autres avait disparu en même temps que sa petite fille. Elle avait négligé John, et même Tommy. Elle se sentait coupée du monde, isolée, en proie à une immense détresse qui jamais ne s'estomperait. Le masque rigide qu'elle s'était forgé dissimulait seul son désarroi... John montrait davantage son chagrin. Son existence était devenue une longue souffrance. Sa petite fille lui manquait cruellement, tout comme sa femme et Tommy, car le fil de leur ancienne complicité s'était rompu. Il ne savait plus où aller, vers qui se tourner, que faire pour alléger sa peine. Il aurait pu avoir une ou plusieurs aventures extraconjugales. Il ne l'avait pas fait. Il n'avait pas envie de coucher avec n'importe qui... il voulait l'impossible : retrouver leur bonheur, leur vie passée, leur amour perdu.

Il tressaillit, alors qu'elle allait et venait dans la pièce, en rangeant ses affaires. Elle disparut dans la salle de bains attenante d'où elle ressortit en chemise de nuit. Avant d'éteindre le plafonnier, elle lui secoua l'épaule.

— Mets ton pyjama, dit-elle d'une voix dure, comme si elle s'adressait à un enfant récalcitrant ou à un étranger.

On aurait dit une infirmière, pas la femme qui l'avait jadis passionnément aimé.

Il s'assit sur le bord du lit en secouant la tête, comme pour recouvrer ses esprits.

— Je te demande pardon, Liz. J'ai vraiment oublié. La peur de recommencer à nous disputer, sans doute. Je ne sais pas, Je n'avais pas l'intention de gâcher ta soirée.

Le gâchis avait eu lieu sept mois plus tôt. La disparition brutale de leur enfant les avait anéantis. Rien ne la ferait revenir. Ils ne reverraient plus jamais leur chère petite Annie.

— Ce n'est pas grave, répondit-elle, sans conviction. Nous remettrons ça un autre soir.

Elle avait dit « un autre soir » d'un air distant.

— Vraiment ? J'aimerais bien. Tes succulents petits plats me manquent.

Ils avaient tout perdu en un instant. John avait vieilli d'un seul coup et Liz ne soignait plus son apparence, surtout depuis qu'elle avait appris qu'une nouvelle maternité lui était impossible.

Il passa dans la salle de bains où il enfila son pyjama. Il sentait le linge propre et le dentifrice lorsqu'il ressortit, mais elle lui avait déjà tourné le dos et avait éteint sa lampe de chevet.

— Liz ? chuchota-t-il dans l'obscurité. Pourras-tu jamais me pardonner ?

— Il n'y a rien à pardonner. Tu n'as rien fait, répondit-elle d'une voix sans timbre, une voix morte.

— Si j'avais demandé au médecin de se déplacer cette nuit-là... si je ne t'avais pas persuadée qu'il s'agissait d'un simple refroidissement...

— Le Dr Stone a dit que ça n'aurait rien changé.

Mais elle n'avait pas l'air de le croire.

— Je suis désolé, murmura-t-il, la voix étouffée par les sanglots. (Il lui mit la main sur l'épaule, la sentit se raidir sous sa paume.) Je suis désolé, Liz.

— Moi aussi.

Elle ne se retourna pas ; ne le regarda pas, ne vit pas ses larmes. Comme il n'aperçut pas les siennes, roulant sur l'oreiller blanc. Ils ressemblaient à deux naufragés en train de se noyer dans deux océans séparés.

Etendu sur son lit, Tommy tarda à trouver le sommeil. Il avait du mal à croire que ses parents retrouveraient le bonheur d'être ensemble. Trop de choses étaient arrivées, il y avait eu trop de peine, le fardeau était trop lourd. Il avait perdu sa petite sœur, sa maison, son père et sa mère tout à la fois. Seule la perspective de revoir Maribeth lui apporta un peu de réconfort... Il se remémora ses longues jambes, sa chevelure couleur de feu, la drôle de vieille chemise qu'elle portait, leur course sur le rivage, aux abords du lac... Une myriade de pensées se bousculaient dans son esprit. Il finit par s'endormir et dans ses rêves, il fut hanté par l'image de Maribeth se promenant lentement sur la plage, en tenant Annie par la main.

5

Le dimanche, après avoir déjeuné au restaurant, il l'emmena voir *Tant qu'il y aura des hommes*, avec Burt Lancaster et Deborah Kerr. Il s'était assis tout contre elle, un bras autour de ses épaules ; ils grignotèrent du pop-corn et des caramels et Maribeth versa un torrent de larmes à chaque scène pathétique. Au générique, d'une seule voix, ils s'exclamèrent que c'était un film génial.

Tandis qu'il la ramenait chez elle, ils firent des plans pour le mercredi suivant. Incidemment, elle voulut savoir comment s'était déroulé le dîner avec ses parents...

— Pas terrible, répliqua-t-il, l'œil songeur. En fait, une vraie catastrophe. Papa a oublié l'heure. Je suppose qu'il s'est laissé entraîner par des gars de son entreprise. Résultat, le rôti de bœuf a failli brûler, maman est montée sur ses grands chevaux et finalement papa est rentré, légèrement ivre. (Il sourit en s'efforçant de minimiser le drame.) La plupart du temps, ils sont furieux l'un contre l'autre. Surtout pour des broutilles... Ils pourraient s'entraider, mais non, ils n'en ont pas la force.

Maribeth eut un hochement de tête compatissant. Ils s'étaient assis sur les marches devant la porte. La logeuse de la jeune fille, une vieille demoiselle, passa la tête par une fenêtre du rez-de-chaussée. Un sourire éclaira son visage sillonné de rides... La petite avait eu la chance de tomber sur un garçon sérieux. Dès le premier jour, sa jeune locataire avait gagné sa sympathie. Elle la trouvait « maigre comme un clou », bien sûr, comme toutes les gamines de sa génération. Cela ne tarderait pas à changer, se disait Maribeth... Elle avait commencé à prendre du poids. Jusqu'alors, elle avait réussi à masquer ses rondeurs, bien que le tablier blanc qu'elle portait au restaurant commençât à la serrer à la taille.

— Qu'allons-nous faire mercredi ? Retourner au lac ?

— Oh oui ! Mais c'est moi qui offre le déjeuner cette fois. Je le préparerai moi-même.

— D'accord.

— Qu'est-ce qui te ferait plaisir ?

— N'importe quoi. Du moment que ce sera fait par toi...

Il voulait juste être avec elle. Alors qu'ils étaient assis côte à côte sur la même marche, il percevait comme un parfum capiteux, l'obsédante proximité de son corps... Il n'avait qu'à se pencher pour quémander un baiser, mais la timidité le paralysait. La sentir si proche lui procurait une douleur lancinante, presque physique, or il n'osait faire le premier pas. Un soupir poignant lui échappa, qu'elle associa à la querelle de ses parents.

— Le temps guérit toutes les blessures, l'assura-t-elle. Il y a à peine sept mois que ce deuil cruel les a frappés. Donne-leur une chance. Quand ta mère recommencera à travailler, les choses vont sûrement s'améliorer.

— Ou empirer... Elle en profitera pour déserter la maison. Du temps d'Annie, elle travaillait à mi-temps. Evidemment, elle estime, à juste titre, qu'elle n'a pas à rentrer à la maison pour moi. Quand l'école va commencer, je ne serai pas de retour avant dix-huit heures, alors...

— Ont-ils pensé à avoir un autre enfant ?

Elle le vit secouer la tête.

— Maman est trop âgée pour une nouvelle grossesse.
Elle a quarante-sept ans et a eu un mal fou à avoir
Annie. J'ignore s'ils désirent un autre bébé. Ils ne m'ont
rien dit.

— Les parents évitent d'aborder des sujets aussi
intimes devant leur progéniture.

— Crois-tu ? Oui, sans doute... tu dois avoir raison.

Ils mirent au point leur sortie du mercredi. Tommy
promit de passer au restaurant lundi ou mardi...
Naturellement, Julie et les autres pensaient qu'ils
étaient déjà amants, bien que Maribeth refusât de
répondre à leurs gentilles railleries.

Ils s'étaient levés. Tom lui souhaita bonne nuit en se
dandinant sur une jambe, puis sur l'autre. Il maudissait
sa maladresse, sa crainte perpétuelle de se montrer trop
téméraire ou pas assez... Trop empressé ou trop lent...
Sapristi, il devait y avoir un juste milieu, mais l'audace
lui manquait. Chaque fois qu'il lui disait au revoir, il
brûlait de la prendre dans ses bras... et ne bougeait pas
d'un pouce.

Elle referma sa porte, gravit les marches conduisant
vers sa chambre, le front soucieux. Comment lui
apprendrait-elle la vérité sur son état ? C'était un
tourment de tous les instants. Un casse-tête sans
solution.

Les deux jours suivants, il dîna au restaurant, puis la
raccompagna chez elle. Et le mercredi, avant d'aller la
chercher, il fit une halte au cimetière, tôt le matin.

Il s'y rendait régulièrement, afin d'enlever les feuilles
mortes, de nettoyer la petite pierre tombale, et d'arroser
les fleurs qu'il avait plantées tout autour. Sa mère lui en
savait gré. Elle-même n'était plus retournée au cimetière depuis l'enterrement d'Annie.

Tommy se mit au travail, tout en parlant à mi-voix,
suivant son habitude.

— Tu la verrais, Annie, elle est superbe... pas de
boutons... des jambes de rêve... Elle ne sait pas nager

mais se rattrape sur la course à pied... Je crois que tu l'aimerais.

Il sourit. A seize ans Annie aurait été comme Maribeth. Droite, honnête, intelligente, espiègle. Les phrases de Maribeth à propos de gens qui ne font que passer dans la vie des autres lui revinrent en mémoire.

« Personne ne restera pour toujours dans ce bas monde », avait-elle dit.

Peut-être qu'Annie n'avait fait que passer. Mais, bon sang, elle aurait pu s'attarder un peu plus longtemps.

Il se recueillit un instant sur la tombe, le cœur noué, comme à chaque fois qu'il lisait son nom gravé sur la pierre blanche, Anne Elizabeth Whittaker. Le petit agneau sculpté au-dessus de ces trois mots lui faisait toujours monter les larmes aux yeux.

— Salut, petit bouchon, murmura-t-il avant de partir. Je reviendrai bientôt. Je t'aime.

Elle lui manquait toujours désespérément, surtout après ses visites au cimetière.

Maribeth remarqua immédiatement son air sombre, lorsqu'il passa la chercher.

— Qu'est-ce qui ne va pas ? s'alarma-t-elle. Qu'est-il arrivé ?

— Rien, dit-il, touché par sa sollicitude. Je suis allé sur la tombe d'Annie.

Il lui sourit. Elle avait enfilé une chemise informe sur un short, et avait chaussé des sandales.

— Je lui ai parlé de toi. Mais je suppose qu'elle est déjà au courant.

C'était leur grand secret, et ils en discutaient sans fausse honte.

— J'ai rêvé d'elle l'autre soir, lui avoua Maribeth.

— Moi aussi. Vous étiez toutes les deux en train de vous promener sur la plage.

— Dans mon rêve, elle me disait de prendre soin de toi et je le lui ai promis... La chaîne de solidarité, tu connais ? Quelqu'un s'occupe de toi un certain temps, avant de passer le flambeau à quelqu'un d'autre, et ainsi de suite... Voilà ce que je voulais dire l'autre jour en évoquant ces gens de passage. Un flot de personnes qui ne cesse d'alimenter nos vies. Qui jamais ne s'arrête. Comme un fleuve... Ça peut paraître dingue, mais...

— Non, au contraire. Ton hypothèse est à la fois plausible et inquiétante. Personnellement, je préférerais que les gens restent. J'aurais voulu qu'Annie soit encore là et je ne souhaite personne après toi, Maribeth. Quel mal y a-t-il à rester ?

— On ne peut pas toujours faire ce qu'on veut. Parfois, il faut repartir. Comme Annie. On n'a pas toujours le choix, répondit-elle en pensant à son bébé. Tous deux, liés l'un à l'autre pour le moment, ne tarderaient pas à se séparer. Maribeth irait habiter ailleurs, tandis que le bébé vivrait sa vie avec d'autres personnes... Oui, rien n'était fait pour durer.

— Je n'aime pas trop tes théories, Maribeth. A un moment donné, les gens sont obligés de jeter l'ancre.

— Certains le font. D'autres pas. D'autres encore ne peuvent agir autrement. Il faut les aimer, quel que soit le cas de figure.

— Et nous ? s'enquit-il, étrangement sérieux pour un garçon de seize ans. Tu supposes que nous nous sommes rencontrés dans le but d'apprendre quelque chose l'un de l'autre ?

— Peut-être avons-nous besoin l'un de l'autre en ce moment précis, répliqua-t-elle, pleine de sagesse.

— Grâce à toi, j'ai compris pas mal de choses au sujet d'Annie.

— Toi aussi, tu m'as aidée ! s'exclama Maribeth avec chaleur.

Comme elle n'avait pas précisé sa pensée, il se demanda en quoi... Tandis qu'ils empruntaient en camionnette le chemin du lac, elle sentit le bébé bouger à nouveau.

Parvenus à destination, Tommy déploya une couverture et Maribeth y installa le pique-nique. Salade d'œufs, gâteau au chocolat, jus de fruit, une bouteille de lait qu'elle consommait en grandes quantités ces derniers temps, du Coca-Cola. Affamés, ils dévorèrent leur déjeuner, après quoi ils demeurèrent allongés sur la couverture pendant un long moment. La conversation roula mollement sur les sujets habituels : l'école, les amis, les parents, leurs projets... Tommy évoqua son voyage avec son père en Californie et en Floride où ils avaient visité des usines de produits alimentaires. Maribeth n'avait jamais été nulle part mais irait très certainement à Chicago et à New York. Tous deux souhaitaient visiter l'Europe, naturellement... encore que de l'avis de Maribeth, jamais elle n'aurait les moyens d'entreprendre un tel voyage.

La guerre de Corée faisait partie de leurs préoccupations. Tous deux s'interrogeaient sur les raisons qui avaient poussé leur pays à s'engager dans un nouveau conflit, à peine sorti de la Seconde Guerre mondiale. Ils avaient quatre ans quand l'aviation japonaise avait attaqué Pearl Harbor. Le père de Tommy était trop âgé pour être mobilisable, mais celui de Maribeth avait participé aux combats de Iwo Jima.

— Comment réagirais-tu si tu devais partir à la guerre ? interrogea-t-elle, et la question parut le prendre de court.

— Quand ? Maintenant ? Ou quand j'aurai dix-huit ans ?

C'était une possibilité, si la question de la Corée n'avait pas été encore résolue d'ici-là.

— N'importe. Irais-tu te battre ?

— Bien sûr. J'obéirais aux ordres de mon gouvernement.

— Pas moi, si j'étais un homme. Je suis contre la guerre, déclara-t-elle d'une voix ferme qui arracha à Tom un sourire.

Elle avait une opinion sur tout. Des idées incongrues, parfois, mais bien définies.

— Tu dis ça parce que tu es une fille. Les hommes n'ont pas le choix.

— Ils peuvent se l'accorder. Regarde les Quakers. Les objecteurs de conscience. Ils ne vont pas à la guerre... Je crois qu'ils sont plus intelligents que les autres.

— Ou plus peureux.

Elle se rebiffa. Maribeth n'épousait que les idéaux qu'elle approuvait totalement.

— Pas du tout ! Ils sont simplement fidèles à leurs croyances. J'aurais refusé d'aller à la guerre si j'étais un homme, répéta-t-elle, d'un air buté. La guerre est stupide.

— Peut-être, mais ça nous dépasse, sourit Tommy. Tu aurais été un vaillant petit soldat, comme tout le monde.

— Un jour, les soldats refuseront d'obéir aux diktats.

— Ce serait le chaos si ça arrivait. Pourquoi certains refuseraient et pas d'autres ? Et qu'adviendrait-il des déserteurs ? Où iraient-ils se cacher ? C'est impossible, Maribeth. Laisse la guerre aux hommes. Ils savent ce qu'ils font.

— Ils croient savoir, c'est là tout le problème. Ils nous inventent des champs d'honneur chaque fois qu'ils s'ennuient. A peine une guerre est-elle terminée qu'ils s'empressent d'engager de nouvelles hostilités.

Il éclata de rire.

— Tu devrais soumettre ta candidature à la Maison Blanche.

Au fond de lui, il respectait ses idées, tout comme ses arguments qui ne manquaient ni d'originalité ni de courage.

Ils décidèrent peu après de faire une promenade. Sur le chemin du retour, il lui demanda si elle avait envie de nager jusqu'au radeau qui flottait au milieu du lac. Une fois de plus, elle refusa sa proposition.

— Allez, dis-moi la vérité, Maribeth. Tu as la phobie de l'eau ? Il n'y a pas de honte, tu sais. Mais dis-le.

— Je n'ai pas peur de l'eau. Je n'ai pas envie de nager, voilà tout.

Elle s'estimait bonne nageuse mais retirer la grande chemise de son père, qui cachait son ventre arrondi, lui paraissait impossible. Elle ne voulait pas qu'il sache.

— Alors, viens.

Il faisait une chaleur accablante. Le corps de Maribeth réclamait de toutes ses fibres un peu de fraîcheur. Seulement, elle ne pouvait se permettre de céder à la tentation... Elle était enceinte de quatre mois et demi.

— Eh bien, marchons au bord de l'eau, suggéra Tommy.

Elle accepta mais refusa obstinément de s'aventurer plus avant et ils se contentèrent de longer la rive. Les eaux, peu profondes, reflétaient le soleil. Un peu plus loin, les flots s'assombrissaient, signe d'une insondable profondeur. Elle demeura sur le promontoire sablonneux, tandis que Tom plongeait. En un rien de temps, il avait atteint le radeau avant de faire demi-tour. Il fendait l'onde à longs mouvements réguliers. Un instant plus tard, il émergea, ruisselant, à son côté.

— Tu es un vrai champion !

— Je faisais partie de l'équipe de natation de l'école l'année dernière. Mais cet imbécile de capitaine m'a découragé à tout jamais de poursuivre l'entraînement.

L'air espiègle, il l'aspergea, et l'eau se déposa en gouttelettes scintillantes sur ses cheveux.

— Tu n'es qu'une poule mouillée, tu sais. Je suis sûr que tu nages aussi bien que moi.

— Laisse-moi tranquille !

Elle esquivait avec grâce les gerbes d'eau qu'il lui envoyait. Au bout d'un moment, n'y tenant plus, elle l'imita et ils se mirent à s'éclabousser en riant. La vieille chemise fut vite trempée. Maribeth s'acharna à faire boire la tasse à son adversaire, perdit l'équilibre, et tomba lourdement. C'était trop tard. Le tissu qui lui collait à la peau dévoilerait bientôt la vérité... Afin de gagner du temps, elle repoussa Tommy et se mit à nager rageusement, en s'acharnant à trouver une solution : comment faire pour qu'il ne remarque pas son ventre protubérant... Ils se laissèrent glisser sur les flots côte à côte, avant de se diriger vers le rivage. Maribeth le laissa gagner la plage le premier. Prétextant qu'elle avait froid, elle réclama sa serviette de bain... Le soleil pailletait d'or l'air tiède. Un peu surpris, Tommy s'exécuta. Revenu près du lac, il lui tendit l'ample serviette en éponge... « Raté ! » se dit-elle en se rendant compte qu'il lui fallait tout de même sortir de l'eau, puis franchir les quelques pas qui la séparaient de lui. Elle n'osa lui demander de se retourner et se borna à demeurer immergée, le visage crispé par l'anxiété.

— Quelque chose ne va pas ? demanda-t-il.

Après un long silence, elle hocha la tête. Elle aurait voulu qu'il n'apprenne pas la vérité. Maintenant, elle était piégée.

— Puis-je t'aider ?

— Pas vraiment.

— Ecoute, Maribeth, sors donc de l'eau. Si quelque chose te tracasse, on trouvera une solution. Viens, je vais t'aider.

Il avait avancé la main vers elle et ce geste fit venir des larmes dans les yeux de la jeune fille. Elle ne bougea pas. Elle se sentait incapable d'ébaucher le moindre mouvement. Il entra alors dans l'eau et la souleva dans ses bras... Elle le laissa la ramener vers l'étroite bande de sable. De nouvelles larmes ruisselèrent sur ses joues, quand il la remit gentiment sur ses jambes en se demandant obscurément pourquoi elle pleurait. Il l'entoura de la serviette, puis, en baissant les yeux, il vit ce qu'elle souhaitait lui cacher : un petit ventre pas très voyant encore, mais rond et ferme. Son regard se leva vivement vers celui de Maribeth. Il se rappelait l'allure de sa mère, quand elle attendait Annie... Maribeth était trop mince pour qu'il puisse se méprendre sur son état.

— Je ne voulais pas que tu saches, balbutia-t-elle lamentablement. Je ne voulais pas te le dire.

Ils se tenaient face à face, immobiles. Pendant une

éternité, ils se regardèrent sans ébaucher un geste, comme foudroyés. Le visage de Maribeth était d'une pâleur mortelle.

— Viens, dit-il doucement en passant un bras autour de ses épaules. Allons nous asseoir.

Ils regagnèrent en silence la couverture. Maribeth déboutonna la vieille chemise trempée. Elle resta en maillot de bain et en short, sans plus se soucier de se cacher. Son secret avait été révélé au grand jour.

— Comment ça s'est passé ? demanda-t-il en évitant de regarder le léger renflement de son ventre.

— De la manière habituelle, je suppose, bien que je ne sache pas grand-chose en la matière.

— Tu avais un petit ami ? Tu *as* un petit ami ? rectifia-t-il, avec un drôle de pincement au cœur, mais elle secoua la tête.

— Ni l'un ni l'autre. Je me suis comportée comme une gourde... (Elle avait décidé de tout lui raconter, maintenant qu'il avait deviné le plus important.) J'ai fait l'amour une fois... Avec quelqu'un que je connaissais à peine. Nous n'avions même pas rendez-vous. Il m'a raccompagnée chez moi après un bal parce que mon cavalier était ivre. C'était la vedette de la classe de terminale. Il avait l'air gentil et m'a fait un tas de compliments. Il m'a offert un hamburger dans une boîte de nuit, avec des amis à lui. Je me suis sentie en confiance. Au retour, il m'a fait boire du gin, après quoi... (elle baissa les yeux sur son ventre) tu peux imaginer la suite. Il a dit qu'il n'y avait aucune chance que je tombe enceinte. Il avait soi-disant rompu avec sa petite amie mais ils se sont rabibochés pendant le week-end. Le lundi suivant, je les ai trouvés main dans la main et je me suis sentie ridicule. Pire encore, j'ai fichu ma vie en l'air pour un garçon que je ne connaissais pas, qui ne m'avait même pas aimée. J'ai mis un moment à comprendre ce qui m'arrivait et, pendant ce temps, ils se sont fiancés. Ils se sont mariés après la remise des diplômes.

— Est-ce que tu lui as dit?

— Oui. Il m'a répondu qu'il allait se marier et qu'elle le tuerait, si elle apprenait quoi que ce soit... Je n'ai pas insisté, pour ne pas le compromettre. J'ai refusé de dire son nom à mes parents, afin que mon père ne l'oblige pas à m'épouser. Je ne veux pas me marier avec quelqu'un qui ne m'aime pas. J'ai seize ans. Ma vie serait détruite, si je me mariais pour sauvegarder les convenances... D'un autre côté, mon avenir ne s'annonce pas brillant.

— Comment ont réagi tes parents? interrogea Tom, abasourdi par le récit de cette fille courageuse qui avait su faire face au désastre.

— Mon père a piqué une colère. Il m'a emmenée chez les Sœurs de la Charité où j'étais supposée rester jusqu'à l'accouchement. Le couvent ressemblait davantage à une prison qu'à un havre de paix. Je n'ai pas tenu plus de quelques semaines. J'ai acheté un ticket de bus pour Chicago où je projetais de trouver un emploi. Le car s'est arrêté ici, j'ai vu l'annonce sur la vitrine de Jimmy et tu connais le reste... Papa a dit qu'il m'autoriserait à revenir à la maison après la naissance du bébé. Je pourrai alors reprendre l'école.

Elle s'était exprimée d'une voix hachée en feignant un détachement qu'elle était loin d'éprouver.

— Et le bébé?

— Je le ferai adopter... Je suis trop jeune pour l'élever, je n'ai rien à lui offrir. Je veux terminer le lycée, m'inscrire à l'université... Avec un bébé, ce sera impossible. Il mérite une vraie famille. Les sœurs m'auraient aidée à trouver des parents adoptifs. Ici, je ne sais pas. Je ne m'en suis pas encore occupée.

— Tu ne veux pas le garder? Tu en es sûre?

Il avait du mal à comprendre que l'on puisse renoncer à son propre enfant.

— Je ne sais pas...

Elle sentit bouger le bébé, comme si, en faisant sentir sa présence, il souhaitait l'aider à faire son choix.

— Je ne saurais pas m'en occuper, reprit-elle. Mes parents n'en veulent pas. Je n'ai pas assez d'argent pour subvenir à ses besoins... Et puis non ! Je ne veux pas d'enfants. Pas maintenant. C'est affreux, je sais...

Elle s'interrompit, les yeux pleins de larmes, en proie à un désespoir sans nom... Elle n'avait pas désiré cet enfant, elle n'avait pas aimé Paul, et elle ne serait pas prête à être responsable d'un petit être qui dépendrait entièrement d'elle... Elle n'avait que seize ans...

Tommy l'attira dans ses bras, la pressa doucement contre son cœur.

— Je te comprends, Maribeth. Ça doit être dur pour toi. Mais pourquoi ne m'as-tu rien dit ?

— Oui, bien sûr. « Salut, je m'appelle Maribeth, j'attends un enfant d'un type qui s'est marié entre-temps, et mes parents m'ont mise à la porte... Cela vous dirait de m'inviter à dîner ? »

Il rit et elle sourit à travers ses larmes, puis, soudain, elle se mit à sangloter de peur, de honte, et de soulagement d'avoir tout raconté à Tommy. Celui-ci la tint dans ses bras pendant un long moment... jusqu'à ce que les sanglots qui la secouaient s'apaisent. Il se sentait empli de compassion pour elle. Et pour le bébé.

— Quand doit-il naître ?

— Pas avant la fin décembre.

Il restait quatre mois mais tous deux savaient que le temps s'écoulerait très vite.

— As-tu passé une visite médicale depuis que tu es ici ?

— Je ne connais personne... Les filles, au restaurant, ne savent rien. J'ai peur de perdre mon emploi si Jimmy apprenait que je suis enceinte. Je me suis inventé un mari mort en Corée, pour que mes collègues ne s'étonnent pas quand ma situation se verra.

— Bonne idée, approuva Tommy, dont le sourire s'évanouit un instant plus tard. L'aimais-tu, Maribeth ? Le père de ton enfant, je veux dire ?

A ses yeux, ce fait revêtait une importance capitale.

— Oh, non ! L'attention qu'il m'a portée m'a flattée. Je me suis comportée comme une dinde ! A présent, je le méprise. Il m'a suggéré de me débarrasser du bébé... Mais le docteur là-bas m'a avertie : l'opération coûte cher et comporte des risques.

Tom ne l'avait pas quittée des yeux. Dans son esprit, le mot avortement demeurait une notion floue car il ignorait la nature exacte de cette intervention.

— Je suis content que tu ne l'aies pas fait.

Elle lui rendit son regard, surprise :

— Pourquoi ?

Les choses auraient été tellement plus simples si elle n'était pas enceinte aujourd'hui.

— Parce que tu aurais commis une erreur. Peut-être que ce qui t'est arrivé a un sens, Maribeth... comme Annie... peut-être est-ce arrivé pour une raison précise.

— Je me le suis longtemps demandé. J'ai essayé de cerner les causes de mon manque de chance... Il a suffi d'une fois. La première.

Il acquiesça avec incertitude. En matière de sexe, ses connaissances se résumaient à quelques spéculations personnelles qu'il n'avait pas eu l'occasion de vérifier. Contrairement à Maribeth, il n'avait jamais fait l'amour. Il la fixa d'une drôle de manière, comme s'il hésitait à lui poser une question qui, visiblement, l'obsédait.

— Quoi ? Que veux-tu savoir de plus ? Demande.

Ils étaient amis jusqu'à la mort maintenant, liés par une amitié qui durerait à jamais, tous deux le savaient. Il faisait partie de son pacte secret. Elle constituait la part cachée de lui-même.

— Comment était-ce ? interrogea-t-il, les joues en feu, mort de honte... Formidable ?

La question ne parut pas l'horrifier. Tom était son frère, son meilleur ami, peut-être quelque chose de plus.

— Non, pas pour moi. Pour lui peut-être. On ressent de l'excitation. Une sorte de vertige qui vous empêche de penser à autre chose. On dirait un train lancé à toute vapeur sur les rails... Avec la bonne personne, ça pourrait être formidable, oui. Je n'ai pas vraiment envie de réessayer... Le plus triste, c'est que je me suis donnée sans amour. Sur un coup de tête. Et voilà où j'en suis maintenant : j'attends un bébé dont personne ne veut, ni son père, ni moi-même. Personne.

— Tu changeras probablement d'avis quand tu le verras.

Il avait fondu dès l'instant où il avait aperçu Annie.

— Je n'en suis pas si sûre. Les deux filles qui ont accouché pendant mon séjour au couvent n'ont jamais vu leur bébé. Les bonnes sœurs les ont pris, dès qu'ils sont nés. Tu portes un être qui vit en toi pendant neuf mois, après quoi tu l'abandonnes entre des mains étrangères... D'un autre côté, le garder semble aussi impossible. Je ne saurais pas l'élever. Je ne serais pas une bonne mère... Je sais que je ne voudrais pas m'en occuper pour toujours... Je ne dois pas être normale, mais c'est ainsi. Alors qu'est-ce que ça changera, que je le voie ou pas ? Comment parviendrais-je à subvenir à ses besoins ? A prendre soin de lui ?

Les larmes avaient avivé l'éclat vert de ses prunelles. Il resserra son étreinte. Sans une ombre d'hésitation, il se pencha et lui prit les lèvres. C'était un baiser d'admiration, de tendresse, de compassion. Un baiser d'amour entre un homme et une femme, le seul qu'ils aient échangé de leur vie.

— Je t'aime, murmura-t-il tout contre ses cheveux, en regrettant qu'elle ne porte pas son bébé à lui. Je t'aime tellement... Je ne t'abandonnerai pas. Je serai toujours là pour t'aider.

Elle savait qu'elle pouvait se fier aux promesses de ce garçon de seize ans. L'année pénible qu'il avait vécue l'avait mûri.

— Je t'aime aussi, répondit-elle d'une petite voix, en essuyant ses larmes avec un coin de la serviette-éponge.

— Il faut que tu voies un médecin, affirma-t-il, l'air soudain paternel.

— Pourquoi ?

— Mais pour t'assurer que le bébé est en bonne santé ! Ma mère passait son temps chez son docteur quand elle attendait Annie.

— Elle était plus âgée que moi.

— A mon avis, tu dois passer au moins une visite. Je chercherai le nom du gynécologue de maman dans son agenda et nous irons le voir ensemble.

Elle réprima un gloussement.

— Tu es fou ! Il te prendra pour le père du bébé et s'empressera d'annoncer la bonne nouvelle à tes parents. Je ne peux pas aller chez le médecin, Tommy.

— Il y a sûrement une solution. Et puis, il pourra t'aider à trouver une famille adoptive. Il doit connaître des couples qui n'arrivent pas à concevoir... Papa et maman avaient caressé le projet d'adopter un enfant, avant d'avoir Annie... Je chercherai son nom et je te prendrai un rendez-vous.

Sans qu'elle le lui demande, il était prêt à partager son fardeau, contrairement aux autres. A tous les autres, même les êtres qui lui étaient le plus proches. Un nouveau baiser, empreint de fougue et de tendresse, unit leurs lèvres. La main de Tommy se posa sur son ventre, et elle lui demanda s'il avait senti le bébé bouger. Il répondit par un oui solennel de la tête. Sous sa paume, un mouvement ténu l'avait fait sursauter. Un minuscule frémissement semblable à un furtif battement d'ailes.

Ils repartirent nager, plus tard dans l'après-midi. Cette fois-ci, ils atteignirent ensemble le radeau avant de revenir tranquillement vers la plage. Ils restèrent étendus sur la couverture un long moment, les yeux tournés vers l'azur éblouissant, évoquant une fois de plus l'avenir de Maribeth. Il lui semblait moins sombre maintenant que Tommy se tenait auprès d'elle. Pourtant les mêmes questions vinrent la hanter... Si elle gardait l'enfant, elle serait forcée de s'en occuper jusqu'à la fin de ses jours. Et si elle renonçait à son rôle

de mère, les regrets la submergeraient chaque fois
qu'elle y penserait... Sa raison lui murmurait que son
bébé aurait une vie meilleure au sein d'une vraie
famille... Elle aurait d'autres enfants, plus tard, mais
pourrait-elle jamais oublier celui-là ?

Tommy la reprit dans ses bras et son baiser chassa
tous ses doutes. Une paix étrange régnait dans leur
esprit, lorsqu'ils retournèrent chez Maribeth. Elle se
changea et ils allèrent dîner, avant de se rendre au
cinéma. Leurs sentiments avaient évolué en un après-
midi. Un lien moral les unissait depuis qu'elle lui avait
avoué son secret. Tommy ne l'abandonnerait pas. Ils
avaient besoin l'un de l'autre. Elle surtout...

— A demain, dit-il vers onze heures du soir, après
l'avoir déposée au bas de son immeuble.

Demain, il la reconduirait chez elle après son travail,
bien qu'il eût promis à sa mère de dîner à la maison.
Une journée sans voir Maribeth était une journée sans
joie, sans lumière.

— Prends soin de toi, sourit-il.

Elle lui rendit son sourire, alors qu'elle refermait
doucement la porte... Dans son malheur, elle avait eu la
chance de rencontrer Tommy. L'ami, le frère, l'amoureux qu'elle n'avait jamais eu. Il était tout pour elle.

Cette nuit-là, elle rêva d'Annie une fois de plus.

6

La semaine suivante, Tommy passa au restaurant tous les après-midi. Il la raccompagna tous les soirs chez elle et l'invita à dîner le dimanche avant de l'emmener au cinéma. Ils n'étaient plus allés au lac. Le plan qui avait germé dans sa tête n'avait cessé de se préciser. Ayant emprunté le répertoire de sa mère, il avait relevé le nom et l'adresse de son médecin, le Dr Avery MacLean. C'est lui qui avait été son accoucheur pour ses deux enfants... Avec ses cheveux blancs et ses manières distinguées, il faisait penser à un gentleman du siècle passé. Or, en dépit de cette apparence quelque peu désuète, le Dr MacLean était à la pointe du progrès et Tommy savait combien sa mère avait confiance en lui. Maribeth ayant besoin d'être suivie médicalement, il prit rendez-vous pour elle avec le médecin en la faisant passer pour une certaine Mme Robertson, lui-même étant bien sûr M. Robertson. Pour ce faire, il imita la voix bien timbrée de son père. Il compléta son mensonge en précisant que sa femme et lui venaient juste de se marier et d'emménager à Grinnel et que son épouse avait besoin d'un bilan de santé. Au bout du fil, l'assistante sembla le croire.

— Que lui dirai-je ? s'affola Maribeth, lorsqu'il la mit au courant.

— Rien. Il t'examinera et comprendra de lui-même.

Il se donnait des airs d'homme responsable. Pourtant, ses connaissances concernant les mystères de la naissance n'étaient pas très étendues.

— Je veux dire... que vais-je lui dire à propos du père de l'enfant ?

— Tiens-t'en donc à la version officielle : ton mari a été tué en Corée.

Elle hocha la tête, le front soucieux. Ses collègues ne savaient rien encore mais elle ne pourrait pas leur cacher sa grossesse plus longtemps. Ses yeux scrutèrent anxieusement ceux du garçon.

— Viendras-tu avec moi ?

— Moi ? Et s'il... s'il me reconnaît (Il avait rougi jusqu'à la racine des cheveux à la pensée de devoir assister à l'examen que le médecin ferait subir à Maribeth, et surtout à l'idée que celui-ci puisse avertir ses parents.) Je ne peux pas... ce n'est pas possible.

Elle acquiesça, muette, tandis qu'une larme ourlait le bord de ses longs cils. Le cœur de Tommy fondit.

— D'accord... d'accord... ne pleure pas. J'inventerai quelque chose. Eh ! si je te présentais comme une cousine ? Non, non, là on peut être sûr qu'ils appelleront maman... Je ne sais pas... Ah voilà ! Nous sommes amis, je connaissais ton mari et je t'ai simplement accompagnée.

— Tu ne crois pas qu'il va deviner la vérité ? Que je ne suis pas mariée et tout le reste ?

On eût dit deux enfants s'efforçant de sortir du piège dans lequel ils s'étaient fourvoyés.

— Comment veux-tu qu'il le sache si tu n'en parles pas ? rétorqua Tommy d'un ton ferme, faisant montre d'un sang-froid qu'il était loin d'éprouver.

La seule pensée de l'accompagner chez le médecin le rendait malade. Mais il lui avait promis de ne jamais la laisser tomber, et Tom Whittaker n'avait qu'une parole.

Le lendemain après-midi, en se rendant chez le médecin, ils étaient aussi nerveux l'un que l'autre. A peine s'ils échangèrent un mot durant le trajet. Il l'aida à descendre de la camionnette, puis la suivit en espérant de toutes ses forces qu'il ne rougirait pas.

— Ça va aller, Maribeth. Je te le promets, murmura-t-il, en pénétrant dans le hall.

Tommy avait vu le Dr MacLean une seule fois, devant l'hôpital où se trouvait sa mère pour la naissance d'Annie. A l'époque, il était trop jeune pour avoir le droit de monter et Liz — il se le rappelait très clairement — s'était mise à la fenêtre de sa chambre en tenant avec fierté le nourrisson dans ses bras. Ce souvenir fit monter un flot de larmes aux yeux du jeune homme. Il pressa la main de Maribeth entre les siennes autant pour l'encourager que pour chercher un peu de réconfort. Une infirmière, à la réception, les regarda par-dessus ses lunettes.

— Puis-je vous aider? s'enquit-elle, souriante, persuadée qu'ils se trompaient d'adresse.

— Je suis Maribeth Robertson, murmura la jeune fille d'une voix mal assurée. J'ai rendez-vous avec le docteur.

Les sourcils froncés, l'infirmière jeta un bref coup d'œil à son carnet de rendez-vous.

— Madame Robertson? s'étonna-t-elle.

Sans doute cette jeune personne était-elle plus âgée qu'elle n'en avait l'air. En tout cas, sa nervosité ne faisait pas de doute.

— Oui...

La réponse vint, aussi faible qu'un soupir. La réceptionniste les pria de passer dans la salle d'attente. Des jeunes mariés, songea-t-elle en réprimant un sourire. Des adolescents qui avaient dû régulariser leur situation.

Ils s'exécutèrent. D'autres femmes enceintes attendaient de voir le médecin. Tommy n'en avait jamais vu autant dans une même pièce. Elles bavardaient tout en tricotant, évoquant leurs maris, leurs gosses, leurs films préférés. De temps à autre, leur main se posait légèrement sur leur ventre imposant. A leur grand soulagement, le Dr MacLean les invita tous les deux à entrer dans son bureau. D'emblée, il leur donna du M. et Mme Robertson. Evidemment, le praticien n'avait aucune raison de penser qu'ils n'étaient pas mariés. Il leur posa les questions d'usage telles que leurs dates et lieux de naissance.

— Depuis quand êtes-vous mariés ?

Maribeth le considéra un long moment avant de secouer la tête.

— Nous ne somme pas... Tommy est juste un ami. Mon mari est mort en Corée... (soudain, des larmes voilèrent ses yeux, et elle scruta le médecin avec franchise.) Je ne suis pas mariée, docteur. Je suis enceinte de cinq mois et Tommy m'a suggéré de passer une visite.

« Elle essaie de protéger son petit ami », se dit le docteur.

— Je vois, répondit-il simplement. Son regard se posa sur Tom, dont les traits lui semblaient familiers.

Il se demanda s'il n'était pas le fils d'une de ses patientes. Il était persuadé de l'avoir déjà vu quelque part, mais où ? En fait, ils s'étaient croisés aux obsèques d'Annie mais il ne s'en souvint pas sur le moment.

— Quels sont vos projets ? interrogea-t-il d'un ton las. Comptez-vous vous marier bientôt ?

Tous deux firent non de la tête. Soudain Tommy s'en voulut d'avoir entraîné Maribeth dans cette aventure.

— Nous sommes simplement amis, répéta-t-elle avec véhémence. Ce n'est pas la faute de Tom mais la mienne.

Elle avait fondu en larmes et Tommy lui avait pris la main.

— Là n'est pas le problème, fit remarquer l'obstétricien avec gentillesse. Je vais vous examiner pendant que votre... votre ami retourne dans la salle d'attente. Est-ce que cela vous convient ?

Bah, leurs familles devaient s'opposer farouchement à leur union. Ces deux adolescents avaient l'air très amoureux et il était prêt à les aider autant qu'il le pouvait.

Tommy se retrouva dans la salle d'attente espérant que parmi toutes ces femmes aucune ne connaîtrait sa mère. Il ne manquerait plus que ça ! songea-t-il avec crainte.

Une éternité s'écoula avant que l'assistante le reconduise au bureau du médecin.

— Asseyez-vous. Votre amie et moi-même avons de bonnes nouvelles à vous annoncer, lui dit le Dr MacLean.

Intimidée mais soulagée, Maribeth souriait. Le docteur l'avait examinée avec soin. Elle allait parfaitement bien et son bébé aussi. Il lui avait assuré que si sa grossesse se poursuivait ainsi, elle mettrait au monde un superbe enfant, plein de vigueur et en bonne santé. Maribeth lui avait alors avoué qu'elle souhaitait le faire adopter et elle lui avait demandé s'il connaissait des couples intéressés. Il avait promis d'y réfléchir. A présent, il donnait à Tommy des indications sur la taille et le poids du bébé. Malgré les dénégations de Maribeth, il se comportait comme si Tommy était le père de l'enfant. En effet, le docteur en avait été convaincu dès le premier regard en voyant à quel point le garçon se sentait concerné par tout ce qui arrivait à cette jolie fille et en constatant qu'il semblait en être follement amoureux. Il les regarda attentivement quand, soudain, quelque chose fit surface dans sa mémoire.

— Vous êtes Tommy Whittaker, n'est-ce pas, jeune homme ? s'enquit-il doucement.

Il ne voulait surtout pas le braquer. Il souhaitait simplement l'amener peu à peu à avouer la situation à ses parents.

— Oui, docteur, répondit honnêtement le garçon.

— Vos parents sont-ils au courant ?

Tommy se sentit devenir écarlate. Il était hors de question d'expliquer qu'il avait obtenu l'adresse du cabinet en empruntant l'agenda de sa mère.

— Ils n'ont pas encore rencontré Maribeth, répondit-il, s'enferrant encore un peu plus.

— Il est grand temps que vous la leur présentiez. Vous ne pouvez pas attendre éternellement, vous savez. Noël arrivera sans que vous ayez le temps de vous en apercevoir. (Il ne restait plus que quatre mois jusqu'à la naissance du bébé.) Réfléchissez-y. Vos parents sont des personnes parfaitement compréhensives... Certes, ils ont eu un grand malheur et je comprends votre réticence à leur annoncer une nouvelle qui pourrait les perturber, mais je ne doute pas qu'ils vous aideront de tout leur possible. (Maribeth lui avait raconté comment sa famille l'avait rejetée.) Il s'agit d'un fardeau bien lourd pour vos jeunes épaules, Tommy.

— Ça ira, répondit Tom bravement, confirmant ainsi une fois de plus les soupçons du médecin concernant sa paternité.

En fait, sans même en avoir conscience, il protégeait Maribeth du blâme que la société ne manquerait pas de jeter sur elle. Le Dr MacLean lui sourit. Il semblait apprécier que les deux jeunes gens l'aient choisi comme médecin. Il fixa un nouveau rendez-vous à Maribeth pour le mois suivant, leur tendit un livret de documentation sur la grossesse et l'accouchement. Il indiqua ensuite à la future mère les symptômes synonymes de problèmes graves et lui recommanda, s'ils se manifestaient, de l'appeler aussitôt.

Les soins prénatals coûtaient deux cent cinquante dollars, continua-t-il. L'accouchement à l'hôpital où il exerçait s'élevait à trois cents dollars. Par chance, Maribeth avait les sommes nécessaires, grâce à l'argent que son père lui avait remis pour le couvent. En sortant du cabinet, tous deux reconnurent avec inquiétude que le docteur semblait être totalement convaincu que Tommy était le père du bébé.

— Espérons qu'il ne le dira pas à ta mère, soupira-t-elle.

Elle ne voulait pour rien au monde lui créer des

problèmes. Tommy haussa les épaules, s'efforçant de prendre un air rassuré et confiant. Il avait la conviction que le médecin ne le trahirait pas. C'était un homme droit qui n'avait rien d'un délateur.

— Il ne le fera pas, la rassura-t-il. Il veut surtout nous aider.

— Oui, il a vraiment l'air bien.

Afin de se remettre de leurs émotions, ils entrèrent dans un café où ils commandèrent des milk-shakes. A mi-voix, ils parlèrent du livre qu'il leur avait offert et qu'ils avaient rapidement feuilleté avec lui.

— J'ai peur de l'accouchement, déclara-t-elle d'une voix qui tremblait. Il paraît que les souffrances sont intolérables. Heureusement, il m'a promis de m'administrer des analgésiques.

Elle avait l'impression de se tenir au seuil d'une terrible épreuve. Une sorte d'immense désert truffé de dangers qu'elle allait devoir traverser toute seule, afin de mettre au monde une petite créature qu'elle ne reverrait plus jamais. C'était trop cher payé pour une demi-heure passée dans une Chevy en compagnie de Paul Browne. Parfois une sensation d'irréalité l'envahissait. Pourtant, chaque jour, le bébé grandissait dans son sein. Heureusement, il y avait Tommy.

Il passait la voir tous les jours à son travail. Après la fermeture, ils allaient boire un verre ou voir un film. Le 1er septembre, ce fut la rentrée des classes mais Tommy continua à faire un saut *Chez Jimmy* dès qu'il en avait l'occasion. Il était en cours tous les matins et les après-midi étaient réservés aux activités sportives et aux disciplines artistiques. Tommy n'arrivait pas au restaurant avant le début de la soirée et il était alors épuisé. Néanmoins, il prenait soin de Maribeth et essayait par tous les moyens de lui adoucir la vie. Quand ils étaient seuls, il la prenait dans ses bras mais ni l'un ni l'autre n'avaient osé dépasser les limites de quelques caresses furtives, quelques baisers passionnés.

Elle refusait de faire l'amour avec Tommy alors

qu'elle portait le bébé de Paul. Et plus tard... elle souhaitait que cela se passe d'une autre manière. Il était hors de question de revivre la même mésaventure ; impensable d'avoir un autre enfant avant longtemps. Des années. Lorsqu'elle aurait terminé le lycée, l'université, et qu'elle aurait épousé l'homme qu'elle aimait. Alors peut-être voudrait-elle à nouveau donner la vie. Parce qu'ils l'auraient décidé tous les deux. Tommy comprenait parfaitement sa position. Le désir le consumait mais il ne voulait pas brusquer Maribeth.

Il avait pris l'habitude de revoir ses cours chez elle ou au restaurant, sur une table de l'arrière-salle, tandis qu'elle lui apportait hamburgers et milk-shakes. Parfois, elle l'aidait... Il se rendit compte qu'elle était brillante surtout dans des domaines réputés difficiles comme l'algèbre, la chimie, la trigonométrie. Une quinzaine de jours après la rentrée scolaire, il arriva, tout heureux, avec une merveilleuse idée. Il allait recopier tous ses cours pour elle et il lui prêterait ses livres.

— A Noël, tu auras rattrapé tout ton retard. Demande à tes professeurs de passer un examen de rattrapage, quand tu retourneras chez toi.

Il avait de la peine à réaliser qu'elle repartirait un jour au fin fond de l'Iowa. En fait, il n'y croyait pas. « Elle restera, se répétait-il silencieusement, elle restera avec moi » Mais, il se gardait bien d'exprimer son souhait à voix haute. Tout se jouerait après la naissance du bébé, il le savait.

Son plan fonctionna à merveille. Ils se voyaient tous les soirs, après l'école, et tous deux se mettaient au travail. Maribeth se passionnait pour les cours que Tommy recopiait pour elle et qu'elle conservait dans un grand classeur. Il figurait parmi les meilleurs élèves de sa classe mais il se rendit compte rapidement que, dans la plupart des matières, Maribeth était plus forte que lui.

— Tu aurais facilement décroché le prix d'excellence, dit-il un soir, après avoir vérifié un devoir d'algèbre d'après le corrigé remis en classe par le professeur de mathématiques.

Il ne rentrait jamais chez lui avant minuit, et au bout d'un mois, sa mère émit quelques soupçons sur ses activités nocturnes qu'il s'empressa d'apaiser. Il suivait un entraînement sportif intensif, expliqua-t-il. De plus, il donnait des cours de maths à un de ses camarades. Liz ne parut pas convaincue. En tant que professeur, elle connaissait bien l'emploi du temps des élèves.

A présent, il ne pouvait plus se passer de Maribeth et des discussions enflammées qu'ils avaient à propos du programme du lycée et qui, invariablement, finissaient par la naissance du bébé. Chaque fois, Maribeth se raidissait. Elle n'avait pas changé d'avis au sujet de l'adoption. Elle voulait que son enfant grandisse au sein d'une famille aimante, prête à lui offrir tout ce qu'elle ne pouvait lui donner, qu'il ait des parents qui le pousseraient à faire des études. Elle-même souffrait trop de l'attitude rétrograde de ses parents, qui s'opposaient farouchement à son inscription à l'université pour la simple raison qu'ils estimaient que cela ne lui serait d'aucune utilité.

Ses professeurs avaient en vain essayé de les faire changer d'avis. Ils n'avaient jamais rien voulu entendre. Aujourd'hui, en plus, avec la faute qu'elle avait commise, son père ne voulait plus la voir. Peut-être ne lui pardonnerait-il jamais, même s'il la revoyait sans le bébé.

— Alors pourquoi ne le gardes-tu pas ? ne cessait de lui rétorquer Tommy, en essayant de la convaincre.

Elle se bornait à secouer la tête. Elle ne savait pas quelle était la bonne solution. Son instinct lui avait dicté une marche à suivre et elle irait jusqu'au bout, sans jamais dévier du chemin qu'elle s'était tracé.

Début octobre, elle dut annoncer à ses collègues qu'elle était enceinte. Elles s'en étaient déjà aperçues. Aucune n'avait songé à mettre en doute l'existence du mari mort en Corée. Profondément émues, elles avaient conclu qu'avant de disparaître, il avait fait un ultime cadeau à sa femme. Un souvenir vivant de leurs amours passées. Personne ne pouvait soupçonner, naturellement, que le vrai père, le séduisant Paul Browne, filait le parfait amour avec la femme qu'il avait choisi d'épouser, sans se soucier du bébé.

Evidemment, Maribeth ne souffla mot de ses projets d'adoption. Les autres serveuses lui apportaient régulièrement des présents pour le bébé — bavoirs, petits chaussons, brassières — qu'elle rangeait dans un tiroir, écrasée par un oppressant sentiment de culpabilité.

Elle retourna chez le Dr MacLean. Il lui confirma que sa grossesse se déroulait tout à fait normalement, puis il demanda des nouvelles de Tommy.

— Gentil garçon, sourit-il.

Il espérait que Tommy parlerait sans tarder à ses parents. Connaissant les Whittaker, il était persuadé qu'ils accueilleraient Maribeth avec gentillesse, comme une jeune fille intelligente et sensible même pour son âge.

Vers la mi-octobre, Liz, qui avait pris rendez-vous pour son bilan de santé annuel, franchit le seuil du cabinet du Dr MacLean. Avant qu'elle ne reparte, le docteur la complimenta sur son fils.

— Tommy ? fit-elle surprise qu'il se souvînt de lui... Oui, il a bon caractère.

— Vous pouvez en être fière, ajouta-t-il, en souriant d'un air entendu.

— Mais je le suis, répondit-elle.

Elle retourna à l'école et n'y pensa plus. Sur le chemin de la maison, les phrases du praticien lui revinrent en mémoire. La dernière fois qu'il avait vu Tommy remontait à six ans. C'était quand Annie était née... Il avait dû l'apercevoir à son enterrement. Peut-être l'avait-il croisé en ville. A moins qu'il n'ait un fils dans la classe de Tommy ? Elle avait oublié cette histoire quand, la semaine suivante, une de ses collègues lui affirma avoir aperçu Tommy avec une jeune fille ravissante... et « visiblement en fin de grossesse », précisa-t-elle incidemment.

Très surprise, Liz se promit d'interroger son fils, quand, brusquement, les paroles élogieuses du Dr Mac-Lean sur son fils lui revinrent à l'esprit. Elle imagina le pire. Comme à l'accoutumée, Tommy rentra vers minuit à la maison où sa mère l'attendait de pied ferme.

— D'où viens-tu ? s'enquit-elle d'une voix dure.

— J'étais chez des amis, répondit-il, évasif.

— Quels amis ? (Elle les connaissait presque tous.) Je veux leurs noms.

— Pourquoi ?

Soudain, il fut sur ses gardes. Attiré par les bruits de voix, John Whittaker entra à son tour dans la pièce où se tenaient Liz et Tommy et ce dernier se raidit un peu plus. John avait remarqué lui aussi que son fils rentrait de plus en plus tard. « Il doit avoir une petite amie », s'était-il dit.

— Que se passe-t-il ? demanda-t-il à sa femme, en voyant son air tendu.

— J'ai entendu d'étranges rumeurs à propos de Tommy, et j'exige des explications.

— Quelles rumeurs ? questionna John, mais Liz avait déjà reporté toute son attention sur son fils.

— Qui est cette fille que tu fréquentes ?

— Une amie.

Il sut immédiatement que son mensonge n'avait convaincu personne. Maribeth était plus qu'une amie. Il l'aimait vraiment et voulait, par-dessus tout, la protéger.

Sa mère n'y alla pas par quatre chemins.

— Est-elle enceinte ?

Tommy esquissa une grimace comme s'il venait d'encaisser un coup de poing, tandis que son père sursautait violemment.

— Eh bien, réponds ! Est-elle enceinte ? cria Liz tout en fixant son fils.

— Je... euh... bon sang, maman, je ne sais pas... je n'ai pas... oh mon Dieu, bredouilla-t-il, je peux tout expliquer. Il ne faut pas se fier aux apparences.

— Peut-être qu'elle a tout simplement quelques kilos en trop, suggéra son père.

Tommy lâcha un soupir résigné.

— Pas exactement.

— Oh, Seigneur, murmura Liz.

— Assieds-toi, conseilla John, et Tommy se laissa choir sur une chaise sous le regard incrédule de sa mère.

— Je n'arrive pas à y croire, marmonna-t-elle d'une voix éteinte. Oh, Tommy, qu'est-ce que tu as fait ?

— Rien du tout. Nous sommes amis et voilà tout... Bon d'accord, nous sommes plus que des amis. Oh, maman, tu l'adoreras.

— Oh, Seigneur, répéta-t-elle en s'asseyant à son tour. Qui est-elle ? Comment est-ce arrivé ?

— De la manière habituelle, je suppose. Elle s'appelle Maribeth. Je l'ai rencontrée cet été.

— Pourquoi ne nous as-tu rien dit ?

Tom se retint. *Leur dire !* Alors qu'ils ne se parlaient pratiquement plus depuis la mort d'Annie ! Ils vivaient sous le même toit sans se voir.

— A quel stade en est sa grossesse ? interrogea sa mère, comme si cela faisait une différence.

— Six mois et demi, répliqua-t-il calmement.

C'était mieux ainsi. Qu'ils sachent, après tout. Il voulait demander à sa mère, depuis un moment déjà, de venir en aide à Maribeth. Mais, sur le visage de Liz, l'effroi le disputait maintenant à l'incrédulité.

— *Six mois et demi ?* Mais quand tout cela a-t-il commencé ? fit-elle tout en faisant des calculs désespérés pour savoir à quand cela remontait.

— Je viens de vous le dire, cet été. Elle est arrivée en juin. Elle travaille dans un restaurant où je vais très souvent.

— Tu vas au restaurant, maintenant ? s'enquit John, totalement abasourdi.

— Oui. Tous les jours. Il n'y a rien à manger ici.
Maman ne fait plus la cuisine depuis des mois. Je
dépense mon argent de poche au restaurant.

— C'est insensé ! s'exclama son père dont le regard
chargé de reproches s'arrêta un instant sur sa femme,
avant de revenir vers son fils. Quel âge a cette jeune
fille ?

— Seize ans.

— Je ne comprends pas ! coupa Liz. Elle est arrivée
en juin et elle est enceinte de six mois et demi. Cela veut
dire qu'elle a conçu son enfant en mars... Que s'est-il
passé ? Où vous êtes-vous rencontrés ?

Il ne s'était pas absenté. Pas à sa connaissance du
moins. Mais comment savoir ? Ils ignoraient bien qu'il
dînait quotidiennement au restaurant. Et pourtant,
comment se pouvait-il qu'il ait une petite amie et que
cette petite amie soit enceinte sans qu'ils se soient
doutés de quoi que ce soit ! Six mois et demi ! L'accouchement était pour très bientôt. Un frisson glacé
parcourut Liz. Dieu du ciel, pourquoi Tommy ne les
avait-il pas mis au courant ? Soudain, comme si un voile
venait de se déchirer, la réalité lui apparut. Ils s'étaient
terriblement éloignés les uns des autres depuis la mort
d'Annie... John et elle ne s'adressaient presque plus la
parole et ils avaient négligé Tommy. Il n'y avait rien
d'étonnant à ce qu'il ait fait une bêtise. Personne ne
faisait attention à ses allées et venues.

Tommy la regarda, comme s'il avait deviné les
questions qu'elle se posait.

— Je ne suis pour rien dans sa grossesse, maman.
C'est arrivé chez elle, à Onawa, quand il l'a su son père
l'a envoyée dans un couvent où elle devait rester jusqu'à
son accouchement. Elle n'a pas supporté longtemps
cette prison et elle s'est enfuie. Elle est arrivée ici en juin
et c'est à ce moment-là que je l'ai rencontrée.

— Tu la vois depuis tout ce temps et tu n'as rien dit ?
Tu ne nous l'as pas présentée ! Pourquoi ?

— Je ne sais pas, soupira-t-il. D'un côté j'aurais

voulu que vous fassiez sa connaissance, d'un autre, j'avais peur que vous la rejetiez. Elle est merveilleuse et elle n'a personne pour l'aider.

— Sauf toi ! Liz paraissait peinée. John, lui, semblait soulagé.

— Mais dis-moi, demanda sa mère d'un ton radouci, l'as-tu emmenée voir le Dr MacLean ?

Tommy eut l'air choqué par cette question.

— Pourquoi ? A-t-il dit quelque chose ?

Il n'aurait pas dû. Il avait promis de garder le silence. Liz secoua la tête.

— Non, mais il n'a pas tari d'éloges à ton égard. A tel point que j'ai failli le féliciter pour sa mémoire. Je pensais qu'il ne t'avait pas vu depuis plus de six ans... J'ai compris le fin mot de l'histoire quand un professeur m'a dit t'avoir aperçu en compagnie d'une jeune fille « visiblement en fin de grossesse », selon ses propres termes.

Elle dévisagea son fils de seize ans en se demandant s'il n'avait pas l'intention d'épouser son amie par gentillesse.

— Que compte-t-elle faire quand le bébé sera né ?

— Elle ne sait pas. Elle craint de ne pouvoir s'en occuper et souhaite le faire adopter. Elle estime qu'il sera plus heureux sans elle. Voyez-vous, elle a une théorie...

Il prit une profonde inspiration, en cherchant fébrilement les mots adéquats. Il désirait ardemment que ses parents aiment Maribeth.

— ... une théorie à propos des personnes qui passent trop vite, reprit-il d'une voix cassée par l'émotion. Des anges, comme Annie, qui traversent nos vies juste pour nous laisser un présent, nous faire don d'un héritage spirituel... Elle pense la même chose du bébé. Elle dit qu'elle est là pour le mettre au monde mais pas pour rester avec lui toute sa vie.

— Voilà une décision bien grave, de la part d'une aussi jeune fille, observa Liz. A la compassion qu'elle ressentait envers Maribeth se mêlait une certaine inquiétude. Il était évident que son fils éprouvait pour cette fille une véritable passion. Et sa famille ?

— Ils refusent de la revoir tant qu'elle n'aura pas accouché et ne se sera pas séparée... du bébé. Son père se conduit comme un tyran et sa mère n'ose rien dire. Maribeth est toute seule et elle ne peut compter que sur elle-même. Elle n'a personne pour l'aider.

— A part toi, murmura tristement Liz.

C'était un fardeau bien trop lourd pour un garçon de l'âge de Tommy, même si le bébé n'était pas le sien, se dit-elle. Elle croisa le regard de son mari qui semblait moins inquiet.

— J'aimerais que vous la rencontriez, maman, lâcha Tommy dans un souffle.

Un lourd silence suivit. Tommy pouvait lire l'hésitation sur le visage de sa mère. Faire la connaissance de Maribeth équivaudrait à cautionner une relation qu'elle désapprouvait. Lui interdire de la revoir l'éloignerait de la maison à tout jamais... Elle jeta un coup d'œil à John, qui haussa les épaules, l'air de dire qu'il n'y voyait pas d'objection.

— Peut-être... consentit-elle.

En un sens, ils devaient cela à Tommy. S'il tenait tant à elle — c'est sans doute qu'elle valait d'être connue.

— Elle a hâte de retourner au lycée. Nous travaillons ensemble tous les soirs. Je lui prête mes livres et je lui passe une copie de mes cours. Elle est drôlement forte en maths et en histoire.

— Pourquoi ne va-t-elle plus à l'école ? demanda Liz d'un ton désapprobateur.

— Parce qu'elle a besoin de gagner sa vie. Elle ne peut pas reprendre les cours tant qu'elle ne sera pas rentrée chez elle, quand elle aura eu le bébé.

— Et ensuite, que se passera-t-il ? le pressa Liz. Et toi, dans tout cela ? Tiens-tu vraiment à elle ?

— Oui, maman, répondit-il après une infime hésitation. Je l'aime.

Son père sursauta.

— Tu ne vas tout de même pas l'épouser, ou t'occuper de l'enfant ? Tommy, tu n'as que seize ans, ne l'oublie pas. Si encore tu étais le père de cet enfant... mais ce n'est pas le cas. Tu ne dois rien à cette fille.

— Je le sais bien, mais je l'aime. Je l'épouserais et je garderais le bébé si elle le voulait. Mais elle ne veut rien savoir. Elle rêve de retourner au lycée et d'aller à l'université... Mais son père n'est pas d'accord. Il trouve que les filles n'ont pas besoin de faire des études. Elle n'exerce aucune pression sur moi, papa, rassure-toi. Pour l'épouser, je devrais la forcer.

— Alors ne la force pas, dit sèchement son père en débouchant une bière et en portant la canette à ses lèvres.

L'idée de voir Tommy marié à seize ans lui était insupportable.

— Ne te lance pas dans une entreprise que tu pourrais regretter plus tard, renchérit sa mère d'un ton qu'elle voulait calme. Vous êtes très jeunes tous les deux. Vous détruiriez vos vies si vous commettiez cette erreur. Cette petite a déjà mal commencé, il est inutile d'accumuler les maladresses.

— C'est exactement ce qu'elle pense. Voilà pourquoi elle voudrait faire adopter son bébé. Pour ne plus faire d'erreur. Je ne suis pas de son avis. Un jour elle s'en repentira et il sera trop tard. Elle persiste à dire que son enfant mérite une vie meilleure que celle qu'elle pourra jamais lui offrir.

— Elle a probablement raison, dit sa mère d'une voix éteinte.

Elle ne pouvait rien imaginer de plus affreux que de renoncer à son enfant, sauf peut-être le perdre. Abandonner un être que l'on a porté pendant neuf mois était à ses yeux un véritable cauchemar.

— Il y a beaucoup de couples prêts à adopter un

bébé, reprit-elle. Des gens qui n'ont pas pu en avoir et qui l'aimeront comme si c'était leur propre chair.

— Je sais, Mais je ne peux m'empêcher de trouver ça triste. Qu'est-ce qui lui restera ?

Tommy s'était affaissé sur son siège. Il était une heure et demie du matin et il était épuisé.

— Son propre avenir est peut-être plus important pour elle, lui répondit sa mère. La vie n'est pas facile quand on a eu un enfant à seize ans et que la famille n'est pas là pour vous aider. Penses-y, Tommy, au cas où l'idée du mariage te trotterait dans la tête. Vous n'êtes que deux enfants qui fréquentent encore les bancs de l'école.

— Accepte de la rencontrer, maman. Parle avec elle. J'aimerais que tu la connaisses. Peut-être pourrais-tu l'aider à faire ses devoirs. Je ne peux pas continuer à donner des leçons particulières à quelqu'un qui est plus doué que moi.

— D'accord, dit Liz en échangeant un regard avec John. Invite-la à dîner la semaine prochaine. Je ferai la cuisine.

Elle avait prononcé ces mots sur le ton d'une martyre s'apprêtant pour le sacrifice, réalisa-t-elle subitement. Elle avait renié son devoir de mère, poussant ainsi son fils à dîner tous les soirs au restaurant, comme un orphelin. Liz s'éclaircit la gorge, alors qu'ils se dirigeaient vers le vestibule, après avoir éteint les lumières de la cuisine.

— Je suis désolée... désolée... chuchota-t-elle, les yeux brûlants de larmes, tout en donnant un baiser à son grand garçon. Je n'ai pas été très disponible pour toi, Tommy. Tous ces derniers mois, je me sentais totalement perdue... Mais je t'aime...

— Ne te fais pas de souci, maman. Je vais bien.

Grâce à Maribeth, il avait retrouvé sa joie de vivre, son équilibre... Ils s'étaient soutenus mutuellement.

Chacun gagna sa chambre. Dans la sienne, Liz s'assit pesamment sur le lit et regarda John.

— J'ai peine à en croire mes oreilles. Il l'épousera si nous le laissons faire.

— Et il se comporterait comme un fichu imbécile ! s'emporta John. Il s'agit probablement d'une fille facile qui l'a embobiné en lui laissant entendre qu'elle avait besoin de lui et qu'il était merveilleux.

— Je ne sais que penser... Oh, John, nous sommes responsables de ce qui arrive à Tommy. Nous n'avons songé qu'à notre chagrin en laissant notre fils livré à lui-même. Résultat, nous tombons des nues en apprenant qu'il dînait au restaurant tous les soirs, qu'il est amoureux d'une fille enceinte et qu'il désire l'épouser. Mon Dieu, nous avons été tellement égoïstes, conclut-elle d'un ton catastrophé.

— C'est sans doute ce qui arrive quand on touche le fond, comme on dit, chuchota-t-il en prenant place sur le lit, près d'elle.

Ils ne s'étaient pas sentis aussi proches depuis long-temps. Et pour la première fois, la colère qui tout ce temps-là avait habité Liz céda le pas à la compréhension.

— J'ai cru que j'allais mourir quand... John s'interrompit, incapable d'achever sa phrase.

— Moi aussi... murmura-t-elle. Du reste, j'étais comme morte. J'ai l'impression d'émerger d'un coma profond.

Il l'entoura de ses bras... Cette nuit-là, il la tint contre lui, étroitement enlacée, dans le silence feutré de leur chambre.

7

Pour sa première rencontre avec les parents de Tommy, Maribeth avait mis sa tenue la plus élégante. Il vint la chercher avec du retard, car il sortait d'un entraînement de football particulièrement long. Il était tendu — mais sa nervosité n'avait rien à voir avec la fatigue.

— Tu es parfaite, dit-il d'un air appréciateur, avant de l'embrasser. Merci, Maribeth.

Il était à l'origine de cette fameuse entrevue. Liz, John et Maribeth s'étaient pliés à ses désirs. Les réticences de Maribeth avaient fondu comme neige au soleil lorsqu'elle avait réalisé combien Tommy tenait à les rassembler.

Elle portait une robe de laine anthracite, égayée par un petit col blanc agrémenté d'un nœud papillon noir. Elle ne rentrait plus dans aucun de ses anciens vêtements et avait consacré un mois de salaire à l'achat d'une garde-robe de maternité. Elle avait attaché la masse rousse de ses cheveux en une queue de cheval que retenait sur la nuque un ruban de velours noir. Plus que jamais sa jeunesse rayonnait. Tom l'aida à grimper à l'avant de la camionnette. Durant le trajet, sa passagère observa un silence absolu.

— Ne sois pas nerveuse, d'accord ? dit-il, alors qu'ils s'arrêtaient devant la villa des Whittaker.

L'ensemble dégageait une impression d'ordre et d'aisance, pensa-t-elle en détaillant la façade blanche, les volets fraîchement repeints, la pelouse parfaitement entretenue.

— Ça va aller, la rassura-t-il.

Ils remontèrent l'allée, la main dans la main. Grimpèrent la volée de marches ; franchirent les doubles battants de la porte d'entrée. Tommy ouvrit la porte du salon d'une poussée. Ses parents étaient là. Du coin de l'œil, il vit sa mère observer Maribeth, qui traversait la pièce pour lui serrer la main, puis celle de John.

A première vue, chacun restait sur ses gardes. Liz pria son invitée de s'asseoir, offrant thé ou café. Maribeth opta pour un Coca et Liz partit à la cuisine surveiller son dîner, pendant que John faisait la conversation à l'arrivante. Le menu se composait d'un rôti de veau à la cocotte, accompagné des galettes de pommes de terre que Tommy adorait, et d'épinards à la crème... Maribeth se proposa d'aller aider Liz et s'éclipsa à son tour vers la cuisine. Quand Tommy voulut l'accompagner, John l'en empêcha de la main.

— Laisse-les faire connaissance... Elle a l'air d'une gentille fille, ajouta-t-il avec sincérité... Jolie comme un cœur. Dommage que ce fâcheux incident lui soit arrivé. Qu'est-il advenu du garçon ? Pourquoi ne se sont-ils pas mariés ?

— Il a épousé une autre fille. Et puis, Maribeth ne souhaitait pas devenir sa femme. Elle ne l'aimait pas.

— Raisonnement pertinent ou idiot, qui saurait le dire ? Le joug conjugal est déjà lourd à porter quand on se marie par amour, alors... En tout cas, elle a fait preuve de courage.

John avait allumé sa pipe et considérait son fils. « Comme il a grandi ces derniers mois ! » constata-t-il, impressionné.

— Ses parents se sont montrés très injustes en refusant de la voir jusqu'à la naissance du bébé, reprit-il lentement et en pesant ses mots, sachant que la

moindre critique à l'encontre de Maribeth blesserait
son fils.

Il fallait être totalement aveugle pour ne pas avoir
deviné la force inouïe de son amour pour elle...
« Son premier amour » pensa John, le cœur serré.

Lorsque Liz annonça que le dîner était prêt, il
semblait ne plus y avoir de froideur ou de méfiance
entre Maribeth et elle. Elles avaient mis la table
ensemble, tout en discutant d'un cours d'instruction
civique que Liz donnait au lycée. Un sujet qui cap-
tivait Maribeth.

— Je vous fournirai une partie du matériel, dit
Liz. D'après Tommy, vous essayez de suivre le programme en travaillant avec lui. Aimeriez-vous que je
supervise quelques-uns de vos devoirs ?

Maribeth la regarda comme si elle venait de lui
offrir la lune.

— Oh, oui, j'adorerais ! s'exclama-t-elle avec gratitude, en prenant place entre les deux hommes.

— Comptez-vous vous présenter à votre ancien
lycée ou travaillez-vous uniquement pour vous-
même ?

— Pour moi-même. J'espère, néanmoins, qu'ils
accepteront de me faire passer un examen de
contrôle, quand j'y retournerai, et que je n'aurai pas
trop de retard.

— Passez votre examen ici, vous pourrez ainsi
repartir avec une équivalence à l'intention de vos
professeurs... Avez-vous fait tous les devoirs de
Tom depuis le début de l'année scolaire ?

— Oh oui, tous, interrompit le garçon. A vrai
dire je n'arrive plus à la suivre. Elle a presque fini
mon gros bouquin de sciences, ainsi que celui d'histoire et elle a fait la plupart des exercices.

Liz fut impressionnée par la détermination de
Maribeth et lui proposa de corriger ce qu'elle avait
fait et de l'aider dès le week-end suivant.

— Je vous donnerai quelques exposés qui cernent

bien les principaux sujets du programme, décida la maîtresse de maison en lui passant le plat principal.

Vers la fin du repas, les deux femmes avaient soigneusement mis leur plan au point. Elles se reverraient le samedi après-midi pendant quelques heures, pour faire un bilan des connaissances et du niveau de Maribeth. Le dimanche, Liz lui donnerait une demi-douzaine de questions à étudier.

— Prenez votre temps surtout. Vous me les rendrez quand vous le pourrez. Tommy m'a dit que vous travaillez six jours par semaine dans un restaurant. J'imagine qu'en fin de journée vous aspirez à un repos bien mérité plutôt qu'à vous pencher sur l'histoire de la défaite japonaise pendant la reconquête du Pacifique... Continuerez-vous à travailler longtemps au restaurant, Maribeth ?

Il était difficile de ne pas aborder la question de sa grossesse.

— Jusqu'au bout... Je n'ai pas les moyens de m'arrêter.

Ses économies sur l'argent du couvent serviraient à régler les soins médicaux et l'hôpital. Elle vivait uniquement sur son maigre salaire de serveuse... Réussir à subvenir à ses besoins une ou deux semaines après l'arrivée du bébé relevait du défi pur et simple. Et encore, puisqu'elle ne gardait pas le bébé, elle s'était épargné nombre de frais — les achats habituels que fait toute future mère durant les derniers mois de sa grossesse. Ses collègues, au restaurant, s'étaient cotisées pour lui offrir une petite baignoire de bébé. Elle avait vainement essayé de décourager ces délicates attentions, d'autant plus poignantes qu'elle avait pris la décision de se séparer de l'être qui poussait dans son sein, sitôt qu'il verrait le jour.

— Ce sera dur pour vous de travailler jusqu'à la fin, remarqua gentiment Liz. Je suis passée par là quand Tommy est né et j'ai failli le mettre au monde en plein milieu d'un cours. Je me suis accordée un congé de maternité quand j'attendais Annie.

Un silence subit s'abattit sur la tablée, alors que Liz scrutait la jeune fille, qui soutint son regard sans broncher.

— Je suppose que Tommy vous a parlé de sa petite sœur.

Maribeth acquiesça de la tête, les yeux humides. Elle avait l'impression d'avoir connu Annie.

— Oui, répondit-elle d'une voix douce. Si j'ai bien compris, il s'agissait d'une petite fille spéciale.

— Oui, absolument, murmura Liz, les traits crispés, sentant les doigts de John enlacer les siens... Je suppose que tous les enfants le sont. Le vôtre sera spécial également. Les enfants sont une véritable bénédiction.

Maribeth ne répondit rien et Tommy, qui connaissait son conflit intérieur, lui lança un regard plein de sympathie.

La conversation dévia sur le prochain match de football de Tommy, puis roula paisiblement sur d'autres sujets : la ville natale de Maribeth, ses promenades estivales aux abords du lac avec Tommy. Personne n'évoqua, néanmoins, les rapports des deux jeunes gens, non plus que l'avenir du bébé. Il était vingt-deux heures, quand Tommy la raccompagna chez elle. Elle avait embrassé Liz et John en les remerciant. Une fois dans la camionnette, elle poussa un gros soupir de soulagement et se cala contre le dossier capitonné, exténuée.

— Comment étais-je ? Est-ce qu'ils m'ont acceptée ?

— Tu as été formidable. Ils t'ont adorée. Sinon, maman ne t'aurait jamais proposé des leçons particulières.

Il se sentait le cœur léger. Ses parents s'étaient montrés plus que polis, franchement amicaux. En fait, l'esprit vif, la personnalité attachante et les bonnes manières de Maribeth les avaient conquis.

— Cette petite est douée, tu ne crois pas, Liz ? dit

John tandis qu'ils faisaient la vaisselle. Dommage que sa vie commence aussi mal.

— Pas si mal que ça, dit Liz avec un petit sourire.

Elle s'était rangée à l'opinion de son mari. Maribeth l'avait conquise. Quand Tommy rentra, une demi-heure plus tard, elle lui fit part de son opinion. Il avait escorté Maribeth jusqu'à sa porte. Ils s'étaient embrassés. Il lui avait trouvé une mine fatiguée et elle s'était plainte de douleurs dans le dos.

— Ton amie me plaît bien, annonça tranquillement Liz tout en rangeant la dernière assiette.

John, la pipe au poing, hocha la tête en signe d'assentiment.

— Elle vous aime beaucoup, également. Elle se sentait très seule, ses parents et sa petite sœur lui manquaient... Ils ont beau l'avoir rejetée, ça n'empêche qu'elle les aime ! Sa mère lui a écrit deux ou trois fois. Apparemment, son père ne daigne même pas lire ses lettres. De plus, ils lui interdisent toute communication avec sa sœur... Dieu, que ces gens sont épouvantables !

Liz le regarda. Il ne fallait pas être particulièrement observateur pour remarquer son attachement envers Maribeth. Ainsi que son acharnement à la défendre, à la protéger.

— Il arrive parfois que les parents se trompent dans leurs décisions, convint Liz. Ils ont certainement ressenti la mésaventure de leur fille comme un échec. Et cela a dû les blesser profondément.

— Maribeth est décidée à finir le lycée là-bas. Ensuite, elle veut aller à l'université à Chicago.

— Pourquoi pas ici ? suggéra John, avec une aisance qui surprit sa femme. C'est une ville universitaire et en plus, Liz pourrait superviser ses études.

— Je n'y ai jamais pensé. Elle non plus, je parie ! s'enthousiasma Tom. Je lui en toucherai deux mots en temps et en heure. Pour l'instant, le bébé constitue le numéro un de ses préoccupations... Elle a peur... Elle

ignore au juste de quoi : De l'inconnu... Des souffrances de l'accouchement. Elle n'a personne à qui
confier ses craintes, sauf les serveuses de *Chez Jimmy*.
Naturellement, elles ont achevé de la terrifier avec des
histoires d'accouchements à vous donner la chair de
poule... (Ses yeux, suppliants, se posèrent sur Liz.) Tu
ne veux pas lui en parler, maman ?

— D'accord, je n'y manquerai pas.

Peu après, étendue auprès de John dans leur chambre
obscure, Liz se surprit à penser à Maribeth.

— Une gentille petite qui paie cher un moment
d'égarement, John. Seigneur, à son âge je n'aurais
jamais eu le cran d'assumer mes erreurs... Dieu seul sait
par quelles affres elle passera quand elle aura abandonné
son bébé.

Rien que d'y penser, elle en avait le cœur brisé. Elle
serait morte sur le coup, si elle avait dû se séparer de ses
enfants dès leur naissance. Des larmes lui piquèrent les
yeux en pensant à ses enfants, quand elle les avait tenus
dans ses bras pour la première fois, ç'avait été Tommy,
puis Annie, et à chaque fois une immense, une ineffable
tendresse l'avait envahie. Mais elle avait attendu si
longtemps pour les avoir... A seize ans, c'était sans
doute différent.

— Tu crois que le Dr MacLean trouvera une famille
adoptive à l'enfant ? reprit-elle. Elle se sentait soudain
tout aussi concernée que Tommy.

— J'en suis sûr, répondit John. L'adoption est une
pratique courante, de nos jours. Il y a certainement un
tas de couples sur la liste d'attente d'Avery MacLean...
Il agira pour le mieux.

Etendue dans la pénombre, Liz hocha la tête. Ses
pensées voguaient vers Maribeth et son fils. Si jeunes, si
amoureux et pleins d'espérances. Tous deux étaient
encore à l'âge où l'on est en droit de faire confiance à son
destin. Liz avait perdu la foi en même temps qu'elle
avait perdu Annie. Plus jamais elle ne se fierait à la
providence, souvent trop cruelle, trop capricieuse.

John s'était endormi. Ils s'étaient rapprochés depuis quelque temps. Et peu à peu, Liz sentait renaître dans son cœur un sentiment de tendresse. De son côté, il déployait des efforts indéniables. Chacun s'appliquait à faire des concessions... Le besoin de se retrouver chaque soir, ne serait-ce que pour se raconter leur journée, se faisait de nouveau sentir, comme par le passé. Ils s'étaient perdus de vue pendant un long moment et, maintenant, leur amour émergeait peu à peu du brouillard, pareil au navire qui, ayant bravé la tempête, arrive enfin à bon port... Et Tommy était là, comme il l'avait toujours été. Simplement, aujourd'hui, Maribeth se tenait à ses côtés.

Pour la première fois depuis longtemps, elle éprouva une sensation de paix, qui se répandit en elle, chassant les tourments qui avaient hanté ses nuits.

Dès le lendemain matin, à l'école, Liz se mit à la recherche d'une documentation destinée à Maribeth. Le samedi suivant, elle constata non sans surprise la qualité du travail que Maribeth lui remit. Elle parcourut avec un intérêt qui allait croissant les feuillets rédigés dans un style irréprochable. Maribeth, qui guettait ses réactions, la vit froncer les sourcils.

— C'est mauvais, n'est-ce pas, madame Whittaker ? Je n'ai pas eu le temps nécessaire pour mettre la dernière touche à ma dissertation sur *Madame Bovary*. Je recommencerai, s'il le faut.

— Ne soyez pas ridicule ! s'écria Liz avec un sourire inattendu. C'est tout simplement excellent. Je suis très impressionnée.

Liz parcourait les feuillets avec une attention soutenue. Le style de Maribeth était puissant et limpide et son travail révélait une profonde intelligence. A côté, les rédactions les plus brillantes de Tommy paraissaient ternes, sans profondeur... Fascinée, Liz s'était plongée dans ces écrits qui trahissaient des dons exceptionnels... Un travail sur la littérature russe, un autre sur l'humour dans le théâtre de Shakespeare.

Des exercices de maths sans faute. Le tout était d'une qualité irréprochable. Parfaite... Dans un geste plein de spontanéité, Liz saisit la main de la jeune fille.

— Maribeth, vous avez remarquablement bien travaillé. Cela va vous permettre de réussir facilement tous vos examens de passage pour entrer en terminale. Pour moi, c'est déjà comme si vous y étiez.

— Vous croyez vraiment ? Vous pensez que je peux montrer cela à mes professeurs !

— J'ai une meilleure idée, dit Liz en rangeant les feuilles avec soin dans leurs chemises. Si vous me le permettez, je montrerai votre travail au directeur du lycée où j'enseigne. Avec un peu de chance, vous obtiendrez vos équivalences ici. Et ainsi, vous gagnerez une année là-bas.

Maribeth porta les mains à ses joues embrasées.

— Oh, mon Dieu ! Croyez-vous qu'ils accepteront ?

Elle était partie de chez elle comme une voleuse, courbée sous le poids de sa faute et elle y reviendrait victorieuse, la tête haute. Une année ! Cela voulait dire qu'en juin, elle aurait terminé le lycée. Ses yeux se mirent à étinceler de bonheur. C'était comme si, au terme d'une longue épreuve, elle parvenait enfin au but. Elle avait prouvé — et s'était prouvé — qu'elle était capable de se prendre en charge, de diriger son existence et son destin... Oui, elle franchirait le seuil du foyer familial la tête haute. Elle savait à présent qu'elle ne ferait que passer, une fois de plus... Ses paupières se baissèrent, son sourire s'effaça. Le spectre de la réalité refit soudain surface... Le chemin s'annonçait difficile. Mais elle y arriverait. Elle ferait adopter son bébé avant de livrer l'ultime bataille contre son père. Car M. Robertson ne voudrait pas entendre parler d'études supérieures. Eh bien, elle était prête à tout pour réaliser son rêve. Elle quitterait sa famille une fois de plus. Elle repartirait à zéro. Et elle deviendrait quelqu'un.

Liz lui donna de nouveaux devoirs à préparer durant la semaine et promit de parler d'elle au directeur. Après quoi, tout naturellement leur conversation s'orienta sur Tommy... Liz se garda d'aborder la question du mariage, qui ne cessait pourtant de la tourmenter, et se contenta d'énumérer les qualités de son fils, son ardent désir de poursuivre ses études dans une université prestigieuse, les possibilités qui s'offraient à lui. Maribeth hocha la tête. Elle avait parfaitement compris le sens caché de ce discours.

— Je ne l'épouserai pas, madame Whittaker. Du moins pas tout de suite. Je n'ai pas l'intention de lui gâcher la vie. Nous sommes trop jeunes... Tommy n'est pas du même avis, ajouta-t-elle d'un ton peiné, mais je tiendrai bon. Nous ne sommes pas prêts à fonder un foyer, à avoir des enfants... On doit être adulte pour créer une famille.

Son regard fiévreux brillait de larmes contenues. Liz la dévisagea, la gorge nouée.

— Vous me semblez plus mûre que bien des jeunes de votre âge, Maribeth... Je suis sûre que vous parviendrez à résoudre peu à peu tous vos problèmes. Et je pense que vous avez fait le bon choix, pour vous... et aussi pour votre bébé. Mais j'ai peur que Tommy sorte blessé de cette histoire ou qu'il commette une bêtise.

— Je ne le laisserai pas en faire une, répondit la jeune fille en essuyant ses larmes. Vous savez, parfois, j'ai envie de garder mon bébé. Et puis, après avoir bien réfléchi, j'aboutis toujours à la même conclusion : je n'ai pas grand-chose à lui offrir... Je ne devrais sans doute pas parler ainsi, mais je dois regarder la réalité en face. Cet enfant a le droit de grandir au sein d'une vraie famille... J'aurais souhaité pouvoir l'élever moi-même mais je ne peux pas. Et cela m'angoisse terriblement.

Il était difficile d'ignorer le petit être qu'elle sentait vivre en elle, et encore plus de le renier. Or pour Maribeth, le véritable amour ne consistait pas à mettre un enfant au monde et à le laisser nu et désarmé dans la jungle sociale, mais bien plutôt à lui donner toutes les chances pour réussir sa vie.

— Le Dr MacLean est-il au courant de votre décision ? Est-il prêt à vous aider ?

— Il ne m'a rien dit. Il espère toujours que Tommy et moi...

Liz l'interrompit en riant.

— Ce brave docteur est persuadé que Tom est le père du petit. Il ne tarit pas d'éloges à son égard... Par ailleurs, mon fils désire vous épouser, quitte à adopter le bébé. Mon Dieu, je ne sais plus quoi penser. Après tout chacun est responsable de son destin. Mais l'idée qu'il pourrait commettre une erreur irréparable me terrifie.

— Je m'y opposerai, répéta Maribeth.

Elle avait l'impression d'être plus proche de Liz qu'elle ne l'avait jamais été de sa propre mère. C'était une femme chaleureuse et intelligente. Elle semblait être enfin sortie d'un long cauchemar. Mais la peine altérait par moments ses traits, comme une ombre fugitive.

— Que ferez-vous pendant les deux prochains mois ? demanda-t-elle en servant un verre de lait et des biscuits au chocolat à son invitée.

— Travailler et encore travailler en attendant l'arrivée du bébé. Il naîtra à Noël.

— C'est-à-dire très bientôt. Si je peux me rendre utile à quelque chose, n'hésitez pas à me le dire, Maribeth.

Elles échangèrent un regard de complicité absolue. Plus tard, ce soir-là, quand Tommy fit son apparition au restaurant, Maribeth s'empressa de lui narrer le merveilleux après-midi qu'elle avait passé avec sa mère... Ils allèrent voir un film en trois dimensions et s'amusèrent beaucoup des lunettes colorées grâce auxquelles les images prenaient du relief. En sortant du cinéma, Maribeth se remit à parler de Liz, avec un enthousiasme que Tommy ne lui avait encore jamais vu...

— Je la respecte infiniment. Et j'apprécie sa gentillesse. Elle m'a réinvitée à dîner chez vous la semaine prochaine.

— Formidable. Je me sens presque marié ! s'écria Tommy.

Puis, rouge de confusion, il ajouta :

— N'est-ce pas que ce serait bien ? D'être mariés, je veux dire.

Maribeth lui trouva un air de petit garçon qui la bouleversa. Mais elle avait promis à sa mère — et à elle-même — de l'empêcher de gâcher ses plus belles années.

— Allons, sois réaliste. Tu t'imagines vivre avec moi quand je serai vieille — quand j'aurai mettons vingt-trois ans ! C'est dans sept ans, tu te rends compte ? A ce moment-là, au train où vont les choses, nous aurons déjà huit enfants.

Elle avait un sens de l'humour aigu. Elle faisait souvent montre d'autodérision et aimait bien taquiner Tommy mais cette fois-ci il n'avait pas envie de plaisanter.

— Maribeth, sois sérieuse.

— Je le suis, c'est ça l'ennui. Nous sommes trop jeunes tous les deux et tu le sais très bien.

Tommy garda le silence, en se jurant de soulever une nouvelle fois la question dès que possible. Dans deux mois, quand elle aurait accouché, il comptait lui demander officiellement sa main.

Elle s'ingénia à éviter ce sujet épineux et chacun campa sur ses positions. Le samedi suivant, Tommy emmena Maribeth à la patinoire. Le lac, qui avait gelé avec les premiers froids, attirait l'adolescent comme un aimant.

— Tous les week-ends, je venais patiner avec Annie. Nous étions ici encore une semaine avant... avant sa mort.

Il s'était obligé à formuler les mots redoutables. Il était temps de regarder les choses en face. D'accepter l'irréversible.

— Elle ne cessait pas de me taquiner à propos des filles, reprit-il avec un sourire ému... Elle m'aurait rendu fou à ton sujet.

Maribeth retint un soupir. Lorsqu'elle était allée chez les Whittaker, elle avait vu la chambre d'Annie. Elle y était entrée par inadvertance, en cherchant les toilettes... Tout était là. Les oursons, le berceau empli de poupées, sa collection de livres sur des rayonnages. L'oreiller garni de dentelle et la petite couverture rose sur le lit... La jeune fille avait eu l'impression de pénétrer dans un sanctuaire. Elle s'était dépêchée de ressortir.

A présent elle riait aux histoires que Tommy lui narrait à propos d'Annie. A ses dires, aucune fille ne trouvait grâce à ses yeux. L'une était trop sotte, l'autre trop prétentieuse, la troisième trop ingrate.

— Je n'aurais pas fait l'affaire non plus, tu sais, plaisanta Maribeth, tandis qu'ils patinaient côte à côte sur la mince couche de glace. Surtout maintenant. Elle m'aurait comparée à un éléphant. En tout cas, c'est l'effet que je me fais.

Malgré sa grossesse avancée, elle évoluait avec une grâce indéniable sur les patins qu'elle avait empruntés à Julie.

— Tu es sûre que tu as le droit de pratiquer ce genre de sport ? s'enquit Tommy, soudain alarmé.

— Bien sûr. Tant que je ne tombe pas...

Pour le rassurer, elle virevolta au milieu de la piste, puis entreprit une série de huit sans effort. Il la suivait d'un regard énamouré quand elle trébucha et tomba lourdement sur la glace. Entouré d'un groupe de patineurs, Tommy s'élança vers Maribeth. Elle s'était cogné la tête et gisait à terre, incapable de se redresser. Il fallut les efforts combinés de trois personnes pour la remettre sur ses jambes. Une fois debout, elle parut sur le point de s'évanouir dans les bras de Tommy.

— Vous feriez mieux de la conduire à l'hôpital, suggéra à mi-voix une jeune maman qui tenait la main de son petit garçon. Une chute peut déclencher des contractions.

Il l'aida à monter dans la camionnette.

— Bon sang, qu'est-ce qui t'a pris ? la morigéna-t-il tout en prenant la direction du cabinet du Dr MacLean. Et qu'est-ce qui m'a pris de te laisser faire une chose pareille ? Comment te sens-tu ?

— J'ai la migraine... J'aurais dû faire plus attention, je le sais. Mais j'en ai par-dessus la tête d'être aussi empotée, aussi énorme.

— Tu n'es pas énorme. Tu es enceinte. Toutes les femmes enceintes ont un gros ventre. Et ce n'est pas parce que tu ne veux pas de ce bébé qu'il faut essayer de le tuer.

Elle éclata en sanglots. Lorsqu'ils arrivèrent chez le praticien, Maribeth pleurait à chaudes larmes tandis que Tommy continuait à vitupérer...

— Que se passe-t-il ? Qu'est-il arrivé ? Bonté divine, qu'y a-t-il ?

Leurs éclats de voix avaient attiré le docteur hors de son bureau et il cherchait à savoir ce qui s'était passé. En écoutant les explications décousues de Tommy, il crut comprendre que Maribeth s'était cogné la tête et qu'elle avait voulu tuer son bébé. Il les exhorta au calme, exigea un récit détaillé de toute l'histoire. Aveuglée par les larmes, Maribeth lui avoua qu'elle avait fait une chute en faisant du patin à glace.

— Du patin à glace ? répéta le médecin d'un ton surpris en levant les sourcils.

C'était bien la première fois qu'une de ses patientes lui disait avoir patiné à deux mois de son terme. Mais Tommy et Maribeth écoutèrent avec attention son petit discours sur le sport et les femmes enceintes. Pas d'équitation, pas de patinage, pas de promenade à bicyclette, surtout sur des routes enneigées, pas de ski... Aucun sport.

— Et pas de football, ajouta-t-il avec une moue qui arracha un rire à Tom. Soyez sages... Ah, et j'oubliais, pas de rapports sexuels, bien entendu... Eh bien, jeune dame, puis-je compter sur votre esprit de discipline pour refréner vos élans sportifs ?

— C'est promis, docteur.

Lorsque Tommy sortit pour aller chercher la voiture, Maribeth rappela au praticien sa décision de faire adopter l'enfant.

— Vraiment ? dit-il d'un air surpris. Le jeune Whittakker lui avait semblé être totalement dévoué à sa petite amie. En êtes-vous sûre, Maribeth ?

— Je ne peux pas m'occuper de lui, je vous l'ai déjà dit.

— La famille de Tom pourrait vous aider.

Il savait que Liz Whittaker aurait aimé avoir un autre enfant. Cela dit, ce n'était pas une raison pour qu'elle accepte de prendre en charge le jeune ménage. Fidèle à sa promesse, il n'avait jamais contacté les parents du garçon.

Or, Maribeth semblait avoir des idées bien arrêtées sur le sujet.

— Pourquoi le feraient-ils ? Ce ne serait pas juste. Ce bébé a le droit d'avoir de vrais parents qui l'aiment et l'élèvent le mieux possible. Je ne peux pas m'occuper de lui et aller à l'école. Je n'ai même pas les moyens de le nourrir. Mes parents me fermeront leur porte si je reviens avec lui...

Il regarda le petit visage ravagé par les larmes, lui tapota gentiment la main.

— Je verrai ce que je peux faire.

Lorsque Tommy réapparut, il le prit à part.

— Elle doit rester au lit pendant deux jours... Et souvenez-vous, pas de travail, pas de divertissement et pas de folies...

— Oui, docteur.

— Il va m'aider à trouver une famille d'adoption, déclara Maribeth peu après, alors qu'ils roulaient vers la ville... Hé ! Mais où va-t-on ?

— J'ai appelé maman. Le docteur a dit que tu devais rester couchée pendant deux jours, sauf pour prendre tes repas. J'ai demandé à maman si tu pouvais passer le week-end à la maison.

— Oh, non, tu n'aurais pas dû, je ne pourrais pas... Où est-ce que je vais coucher ?

Elle s'était mise à pleurer. Toutes ces émotions avaient eu raison de ses forces.

— Maman a dit qu'elle te donnerait la chambre d'Annie.

Elle décela l'infime trace d'émotion qui perçait dans sa voix en disant cela. Personne n'avait occupé cette chambre depuis la disparition de la petite fille. Or, sa mère n'avait pas hésité à l'offrir à Maribeth. Lorsqu'ils arrivèrent chez les Whittaker, Liz les accueillit avec chaleur. Un pot de chocolat fumant attendait sur la table de la cuisine.

— Comment vous sentez-vous ? s'enquit-elle.

Ayant elle-même subi plusieurs fausses couches, elle s'inquiétait du sort du bébé.

— Vous avez eu de la chance, conclut-elle en conduisant l'arrivante à sa chambre.

Dans la chemise de nuit rose pâle que Liz lui avait prêtée, étendue sur le lit étroit d'Annie, Maribeth ressemblait davantage à une petite fille égarée qu'à une future mère. Elle dormit plusieurs heures. Liz passa la voir en fin d'après-midi et effleura d'une main légère la joue de la jeune fille, afin de vérifier qu'elle n'avait pas de fièvre. Elle avait appelé le Dr MacLean un peu plus tôt. Il l'avait rassurée au sujet du bébé.

— Ils sont si jeunes, avait-il conclu.

Il s'était dispensé de tout autre commentaire, craignant d'offusquer Liz. Il ne voulait surtout pas avoir l'air de se mêler d'une affaire de famille.

A présent, dans la chambre d'Annie, assise au bord du lit, Liz regardait les grands yeux verts de Maribeth.

— Vous sentez-vous mieux ? murmura-t-elle.

Elle avait dormi plus de trois heures. Tom était parti jouer au hockey sur glace, la laissant en compagnie de sa mère.

— Oui, à part que j'ai mal au dos. J'ai eu si peur. Et Tommy qui m'accusait d'avoir voulu tuer le bébé... Il a été horrible.

— Il a eu peur, lui aussi, répondit Liz avec un sourire indulgent. Patience, Maribeth, il n'y en a plus pour longtemps.

Il ne restait plus que cinq semaines, d'après le Dr MacLean. Six tout au plus.

— J'étais terriblement nerveuse et excitée avant mes accouchements, avoua Liz. (Elle se tut brusquement en réalisant que pour Maribeth le problème ne se posait pas de la même manière.) Oh, pardon, chuchota-t-elle.

Maribeth sourit et lui toucha la main.

— Ne vous excusez pas. Je vous remercie de m'avoir accueillie ici. J'aime cette chambre... J'ai parfois l'impression d'avoir connu Annie. Tommy m'a si souvent parlé d'elle... D'ailleurs elle est toujours là, dans nos cœurs et nos esprits.

— Je ressens la même chose. Elle est toujours près de moi.

Liz ne s'était pas sentie aussi paisible depuis des mois. John semblait plus calme, lui aussi. « Peut-être sommes-nous en train de renaître à la vie », songea-t-elle en ravalant la boule qui s'était formée au fond de sa gorge.

— D'après Tommy, vous pensez que certaines personnes sont envoyées auprès de nous, pendant un bref laps de temps, afin de nous aider à comprendre quelque chose. J'aime bien cette idée... Elle n'est restée que cinq ans avec nous mais ce fut une réelle bénédiction. Je suis contente d'avoir fait un bout de chemin en sa compagnie. Elle m'a appris tant de choses. L'amour, la joie, la générosité.

— Oui, je le pense sincèrement, répliqua Maribeth, en prenant dans sa main la main de Liz sur la courtepointe rose clair. Elle vous a enseigné les valeurs fondamentales de la vie, tout comme à votre mari et à Tommy. Mon bébé, j'en suis sûre, m'apprendra aussi beaucoup de choses, même si nous ne serons ensemble que quelques jours... quelques heures même... (Elle regarda Liz à travers ses larmes.) C'est pourquoi je voudrais en faire don à des gens qui l'aimeront.

Ses paupières se fermèrent, les larmes roulèrent sur ses joues et Liz se pencha pour lui effleurer le front d'un baiser.

— Il y a une solution à tout. Reposez-vous à présent. Vous en avez besoin. Votre bébé aussi.

Maribeth acquiesça, incapable d'en dire plus, et Liz sortit de la pièce sur la pointe des pieds. La pauvre petite n'était pas au bout de ses peines. Bien sûr, au terme de ses souffrances, elle retrouverait son équilibre. Mais à quel prix...

Tommy demanda des nouvelles de Maribeth sitôt revenu de son match de hockey.

— Elle va bien. Elle dort.

Il courut à la chambre d'Annie et entrebâilla la porte sans bruit pour jeter un coup d'œil à l'intérieur. Maribeth dormait, une poupée dans ses bras, apaisée. Il revint vers sa mère, l'air soucieux.

— Tu l'aimes beaucoup, n'est-ce pas ? demanda-t-elle doucement.

— Un jour, je l'épouserai, maman, affirma-t-il.

— Ne fais pas encore de projets, mon chéri. Tu ne sais pas ce que l'avenir vous réserve.

— Je la retrouverai. Mieux encore, je ne la laisserai pas partir. Je l'aime, tu comprends ? Et son bébé aussi.

— Elle aura de la peine à s'en séparer.

— Je le sais...

Il s'était toujours opposé à cette pénible démarche.

Maribeth apparut sur le seuil de la cuisine à l'heure du dîner. Reposée, souriante et fraîche comme une rose. Installé à la table de cuisine devant ses devoirs, Tommy leva le nez.

— Comment te sens-tu ?

— Paresseuse.

Elle jeta un regard d'excuse à Liz, qui préparait le dîner.

— Asseyez-vous, jeune dame. Vous êtes censée vous reposer. Vous avez entendu ce qu'a dit le médecin. Le lit ou, à défaut, une chaise... Tommy, ne reste pas planté là ! Donne une chaise à ton amie, voyons. Et ne t'avise pas de l'emmener à la patinoire demain.

Ils se mirent tous deux à glousser comme des enfants pris en faute, alors qu'elle leur servait des cookies encore tout chauds. Elle savait gré à Tommy d'avoir amené Maribeth chez eux. Leur jeunesse à tous deux lui redonnait goût à la vie. Un lien puissant s'était tissé entre Liz et la jeune fille, dont la présence — qui aurait pu lui rappeler qu'elle ne verrait jamais grandir Annie — agissait sur Liz comme un baume apaisant. John en avait ressenti également les effets bénéfiques... Il eut un sourire heureux en les trouvant tous les trois dans la cuisine.

— Qu'est-ce que c'est ? Une surprise-partie ?

— Non, une punition. Tommy a tenté d'assassiner Maribeth aujourd'hui. Il l'a emmenée patiner.

— Grand Dieu ! Et pourquoi pas faire une partie de football ?

— Nous comptons en disputer une demain, papa. Après une leçon de hockey.

— Excellente idée.

Il leur sourit et cette nuit-là , après dîner, ils jouèrent au Scrabble et c'est Maribeth qui gagna avec deux mots de sept lettres. Après quoi Liz lui fit part de ce qu'avait décidé le directeur de son lycée en ce qui la concernait. Après examen de son dossier, le conseil de classes s'était déclaré prêt à lui accorder l'équivalence demandée. Mieux que cela, compte tenu de son niveau d'études, ils avaient accepté son inscription en terminale. Si elle réussissait ses examens, elle n'aurait plus qu'un semestre à rattraper avant la remise des diplômes.

— Félicitations, mon petit. Vous y êtes arrivée ! se réjouit Liz, aussi fière que s'il se fût agi de ses propres élèves.

— Grâce à vous ! jubila Maribeth.

Avec un petit cri joyeux, elle se tourna vers Tommy pour lui rappeler qu'elle appartenait maintenant à la catégorie des « seniors ».

— Ne laisse pas le succès te monter à la tête. Maman pourra toujours te donner une mauvaise note. Elle est très dure avec les grands.

Ils éclatèrent tous de rire. Le bébé participa par des coups de pied vigoureux à la liesse générale.

— Ce gamin est fou de toi ! s'exclama Tommy plus tard, assis sur le lit, la main sur le ventre de Maribeth... Oh, je suis désolé.

— Pourquoi ? Il est content, tout comme je le suis.

Les bonnes nouvelles qu'elle venait d'entendre lui avaient remonté le moral.

— Tu donnes toujours priorité à l'école, n'est-ce pas, Maribeth ?

— J'ai hâte d'y retourner et d'en finir. Ces six derniers mois vont me paraître une éternité.

— Tu reviendras me voir ? s'enquit-il en se passant la main dans les cheveux d'un air anxieux.

Il détestait l'idée de la voir partir.

— Bien sûr. Du moins j'essaierai. Tu pourras venir aussi, hasarda-t-elle.

Mais tous deux savaient que Tommy ne serait pas le bienvenu chez les Robertson. Le père de Maribeth lui réserverait certainement un accueil froid, voire hostile. Son attitude n'aurait sûrement rien à voir avec la généreuse hospitalité des Whittaker... Tout comme leur fils, ceux-ci étaient en train de tomber amoureux de Maribeth. Ils comprenaient parfaitement pourquoi il l'aimait autant.

— Je te rendrai visite l'été prochain, quand je partirai pour Chicago.

— Pourquoi Chicago ? gémit-il. Pourquoi pas l'université d'ici ?

— Je verrai, concéda-t-elle. A condition que ma candidature soit retenue.

— Avec tes notes, ils vont te supplier de t'inscrire chez eux.

— Ils en ont vu d'autres, sourit-elle.

Il l'embrassa et ils oublièrent l'école, l'université et jusqu'au bébé, bien que celui-ci se signalât par de sauvages coups de pied, pendant que Tommy la serrait dans ses bras.

— Je t'aime, Maribeth. Je vous aime tous les deux. Ne l'oublie jamais.

Ils restèrent enlacés un long moment sur le lit de sa sœur. Ses parents s'étaient retirés dans leur chambre. Ils savaient que Tommy était auprès de Maribeth mais ils leur faisaient confiance. Voyant le sommeil la gagner, Tommy embrassa la jeune fille, se leva et lui adressa un dernier sourire... avant de regagner sa chambre, en se demandant ce que l'avenir leur réservait.

8

Liz invita Maribeth pour la fête de Thanksgiving, un jour qu'elles étaient toutes les deux en train de revoir un cours d'histoire, tard cet après-midi-là. C'était un devoir particulièrement important que Maribeth devait réussir pour son passage en terminale. Toutes les nuits, après le restaurant elle travaillait et elle était rarement couchée avant deux ou trois heures du matin. Un sentiment d'urgence la dominait. Il lui fallait coûte que coûte décrocher l'équivalence avant de regagner le lycée d'Onawa... Le but était proche. Grâce à l'aide précieuse de Liz, elle allait bientôt réussir. Naturellement, son père verrait ses projets d'un œil hostile, ce qui expliquait son désir de se rendre à Chicago.

Liz s'était renseignée pour savoir si elle pouvait s'inscrire au collège de Grinnel. Elle avait promis à Maribeth une recommandation écrite, quelle que fût sa décision. Compte tenu de ses brillants résultats, elle serait admissible dans n'importe quelle université. Souvent, la mère de Tommy se retenait pour ne pas s'emporter ouvertement contre les idées rétrogrades des Robertson.

— Papa est convaincu que l'éducation est réservée aux garçons, expliqua Maribeth, un peu plus tard, tandis qu'elles préparaient le dîner. (C'était son jour de congé.) Maman n'est jamais allée au collège. Pourtant, elle adore lire. Papa, lui, ne se donne même pas la peine de parcourir le journal. « Les femmes n'ont pas besoin d'éducation », telle est sa devise. D'après lui, nous sommes faites pour les travaux ménagers. Sa théorie est qu'on n'a pas besoin de sortir d'une grande école pour savoir changer une couche.

— Il a le mérite d'avoir le courage de ses opinions, répliqua Liz en contenant difficilement son indignation.

A son avis, rien n'empêchait les femmes de mener de front une carrière brillante et une vie d'épouse et de mère... Elle avait repris son travail avec enthousiasme. En restant à la maison, sa passion de l'enseignement s'était estompée et elle avait presque oublié les satisfactions qu'elle pouvait en retirer. Or, depuis qu'Annie n'était plus là, le besoin de combler le vide avait repris le dessus. La joie de contempler les petits visages attentifs de ses élèves compensait en partie l'immense chagrin de la perte de sa petite fille, bien qu'elle sache, au fond d'elle-même, que jamais la plaie ne cicatriserait.

Elle ne s'était pas confiée à John. Leurs rapports demeuraient tendus, par moments. Parfois, le deuil qui avait dévasté leurs existences l'emportait sur leurs efforts. Mais ils ne baissaient plus les bras comme avant. John rentrait presque toujours à l'heure et Liz avait recommencé à mijoter de bons petits plats. Maribeth avait adouci leur rancune. Elle paraissait si fragile, si jeune, et Tommy était si follement épris d'elle... Des enfants amoureux, se disait Liz en réprimant un sourire chaque fois qu'elle les surprenait en train d'échanger un regard énamouré... Elle répéta à Maribeth qu'ils seraient heureux de passer Thanksgiving avec elle.

— Je ne voudrais pas vous déranger.

Elle avait projeté de travailler au restaurant où de la dinde rôtie avait été rajoutée au menu. La plupart des autres serveuses avaient déclaré qu'elles passeraient les fêtes en famille. Maribeth avait promis de se joindre à l'équipe de garde. Elle se sentait un peu coupable de les abandonner. Elle le dit à Liz, tout en dressant la table.

— Ils ne vous en tiendront pas rigueur. Vous travaillez très dur et ils le savent, feignit de la gronder Liz, tandis qu'elle mettait le potage sur le feu. Vous ne devriez pas rester debout tout le temps.

Le bébé naîtrait dans un mois environ et Maribeth était vraiment très grosse.

— Cela m'est égal, répondit-elle calmement, en s'efforçant de refouler sa peur de l'accouchement.

Il était difficile de ne pas y penser. Le bébé remuait constamment, ce qui, parfois, amenait un sourire involontaire sur ses lèvres.

— Jusqu'à quand resterez-vous au restaurant ?

— Jusqu'au dernier moment, je vous l'ai dit.

Elle avait besoin de la totalité de son salaire.

— Réfléchissez, mon petit. Arrêtez-vous au moins deux semaines. Même à votre âge, le corps n'est pas une machine. Par ailleurs, songez à consacrer davantage de temps à la préparation de vos examens.

Elle passerait les épreuves écrites mi-décembre.

— Je verrai, promit Maribeth.

A peine Liz avait-elle réduit le feu pour conserver les plats au chaud que Tommy et son père firent irruption en même temps. Après l'école, Tommy avait aidé John au bureau. Ce dernier avait appelé sa femme, pour la première fois depuis des mois, en demandant à quelle heure ils allaient dîner.

— Salut mesdames, quoi de neuf ? s'écria jovialement le maître de maison.

Il effleura la pommette de son épouse d'un baiser léger, puis recula, guettant sa réaction. Dernièrement, ils s'étaient sentis plus proches l'un de l'autre et cette nouvelle situation les avait effrayés. Ils s'étaient depuis si longtemps comportés en étrangers que la plus petite marque de tendresse leur semblait inhabituelle.

Tommy avait pris Maribeth par la main, afin de la mener jusqu'à sa place à table.

Il était tard quand Tommy raccompagna son amie chez elle. Comme cela leur arrivait fréquemment il s'étaient mis à discuter, moteur coupé. Au fil du temps — peut-être aussi à l'approche des fêtes — la nostalgie avait envahi Maribeth. Un rien écorchait sa sensibilité exacerbée. Et puis il y avait la peur. Une sorte de panique sournoise et insidieuse qui lui serrait la gorge à l'étouffer. A ces moments-là, elle mourait d'envie de s'agripper à Tommy comme à une bouée de sauvetage et de ne plus jamais le lâcher... Tommy, le seul être au monde vers lequel elle pouvait se tourner à tout instant. Lorsque Maribeth le voyait apparaître, son visage s'illuminait.

— Ça va ? la questionna-t-il.

Des larmes avaient étincelé dans les grands yeux verts, alors qu'elle venait de dire oui pour Thanksgiving.

— Oui... c'est-à-dire... (Elle détourna la tête en reniflant) Je deviens si émotive. Je pleure pour un rien... Tes parents sont si gentils avec moi, surtout ta mère... Quand j'y pense, j'en ai les larmes aux yeux. Je ne sais comment les remercier...

— Epouse-moi, coupa-t-il d'une voix sérieuse qui la fit rire.

— J'ai dit « les remercier » pas « me venger d'eux ».

— Ne dis pas de sottises. Tu es ce qui leur est arrivé de meilleur depuis près d'un an. Mes parents ne se parlaient que pour se faire des reproches... Ils t'aiment, Maribeth. Nous t'aimons tous.

— Ce n'est pas une raison pour vous gâcher l'existence sous prétexte que j'ai détruit la mienne... Tes parents sont des gens extraordinaires.

— Et je leur ressemble, dit-il en l'attirant dans ses bras et en la serrant avec tendresse. Je te plairai encore plus quand je serai ton mari.

— Tu es fou !

— Oui, ma belle. De toi. Tu ne te débarrasseras pas de Tom Whittaker comme d'une vieille chaussette.

— Mais je ne veux pas...

Elle laissa sa phrase en suspens, de nouveau suffo-
quée par les larmes. Un instant plus tard, le rire la
secouait... On eût dit qu'à chaque instant, elle passait
par des émotions contradictoires. Rien de plus normal,
d'après le Dr MacLean. Elle avait entamé son dernier
mois de grossesse, d'importants changements allaient
avoir lieu, accompagnés de phases euphoriques ou
dépressives déstabilisantes.

Tommy l'accompagna jusqu'au perron où il s'attarda
pendant un long moment. La nuit était froide et claire.
Lorsqu'il l'embrassa et qu'il la sentit trembler dans ses
bras, il sut qu'il la voulait pour toujours. Il se refusait à
admettre tout autre éventualité. Il avait banni une fois
pour toutes de son esprit l'idée qu'elle puisse refuser de
l'épouser, de dormir et de se réveiller à son côté, de
porter ses enfants. Il l'embrassa, encore et encore, en
rêvant à un futur radieux et magique.

— Tu as l'air sur un petit nuage, remarqua sa mère
un peu plus tard, quand il regagna la maison.

— Elle a accepté de passer Thanksgiving avec nous.

Liz considéra son fils d'un air songeur. Tommy
n'avait plus les pieds sur terre. Il vivait sur la planète du
premier amour, se nourrissait de rêves et d'espoirs.
Parfois, après avoir passé quelques heures en compagnie
de Maribeth, son enthousiasme frisait l'exaltation.

— C'est tout ce qu'elle a dit ?

Elle se faisait du souci pour son fils mais elle savait
que Maribeth allait bientôt affronter une lourde
épreuve. Mettre un enfant au monde constituait une
expérience dont aucune femme ne sortait intacte.

— Comment se sent-elle, maintenant que le jour de
la délivrance est proche ?

Elle était en parfaite santé. Le problème était ailleurs.
Maribeth s'apprêtait à accoucher d'un bébé sans père,
sans famille, d'un bébé qu'elle allait devoir abandonner
entre des mains aimantes mais inconnues... Et au terme
de cette épreuve, un autre combat l'attendait à Onawa,

au fin fond de l'Iowa, où son père allait s'efforcer de lui briser les ailes.

— Elle pense toujours faire adopter le bébé? demanda Liz, en essuyant les assiettes.

— Je crois bien que oui, répliqua Tommy. A mon avis, c'est une folie, mais va l'expliquer à une tête de mule. Elle ne cesse de répéter qu'elle ne pourra pas s'en occuper, qu'il mérite une vraie famille, et que ce sera pour son bien.

— L'ultime sacrifice, murmura Liz.

— Je n'arrête pas de le lui dire mais elle ne veut rien entendre.

— Peut-être a-t-elle raison. Peut-être connaît-elle ses limites. C'est presque une enfant encore, et elle n'a personne pour l'aider. Si finalement elle décidait de garder le bébé, sa famille ne leur rendrait pas la vie facile...

— Oui, elle dit la même chose. Elle prétend qu'elle sait ce qu'elle doit faire... Tu sais, elle ne parle jamais du bébé, elle ne lui achète pas le moindre petit cadeau. Elle a si peur de s'y attacher...

Il était toujours désireux de l'épouser; de l'aider à élever son enfant; de prendre des responsabilités de chef de famille, malgré son jeune âge, et de s'y tenir.

— Il faut que tu l'écoutes, Tommy. Tu dois respecter ses désirs, même s'ils ne correspondent pas aux tiens. On ne se marie pas uniquement pour aider quelqu'un à s'en sortir, mon chéri. C'est plus compliqué que cela. On s'unit pour le meilleur et pour le pire... Et si le pire arrive, il est certain qu'on ne parvient pas à y faire face quand on n'a que seize ans.

Ni à quarante ou à cinquante! Elle et John n'avaient pas vraiment formé bloc contre l'adversité.

— Mais je l'aime, maman, murmura-t-il avec franchise, le cœur serré. Je ne la laisserai pas seule en proie aux difficultés.

Liz hocha la tête. En dépit de l'affection sincère qu'elle éprouvait pour Maribeth, il était de son devoir de mère de s'opposer à une union hâtive, inspirée par de mauvaises raisons.

— Elle n'est pas seule, Tommy. Tu es à ses côtés.

— Ce n'est pas la même chose.

— Laisse-la réfléchir. Il s'agit de sa vie aussi. Elle a besoin de trouver sa voie. Si vous ne vous êtes pas trompés, un jour vous serez à nouveau ensemble.

« Et flûte ! » râla intérieurement le jeune garçon. A ses yeux, l'affaire était d'une simplicité divine. Il épousait Maribeth, ils gardaient le bébé et ils vivaient heureux jusqu'à la fin des temps. Etrangement, personne ne semblait partager ses opinions. Ni ses parents, ni l'intéressée elle-même... « Tous des têtes de mule », conclut-il amèrement.

Toutefois, réunis autour de la grande table ovale de la salle à manger, ils présentaient l'image d'une famille unie le soir de Thanksgiving. Liz avait mis les petits plats dans les grands. Une nappe de dentelle immaculée — cadeau de la grand-mère de John — recouvrait le bois d'acajou où étincelaient argenterie, cristal et porcelaine. Maribeth arriva vêtue d'une toilette de soie céladon qu'elle avait achetée tout exprès pour les fêtes. Les vagues flamboyantes de ses cheveux cascadaient sur ses épaules, ses grands yeux verts reflétaient le chatoiement du tissu. Malgré son ventre, elle resplendissait de beauté. Liz avait revêtu une élégante robe d'un bleu vif et avait mis une touche de rouge à lèvres, chose qui ne lui était pas arrivée depuis longtemps. Les hommes portaient des costumes chics.

Maribeth avait apporté des fleurs à la maîtresse de maison, une splendide gerbe de chrysanthèmes dorés, ainsi qu'une boîte de chocolats auxquels Tommy s'était empressé de goûter. Après le repas, tous les quatre prirent place devant la cheminée où crépitait un beau feu... C'étaient les premières fêtes qu'ils passaient sans Annie. Liz avait longtemps redouté ce jour. Or la présence de Maribeth et de Tommy avait détendu l'atmosphère. Dans l'après-midi, ils se séparèrent. Liz et John partirent faire un tour à pied avec la chienne tandis que Tommy et Maribeth prenaient la voiture pour une promenade dans les environs. Le patron du restaurant avait accordé à sa plus jeune serveuse deux jours de congé.

— Pas de patinage, d'accord ? cria Liz, alors que la camionnette démarrait.

Ils s'étaient donné rendez-vous deux heures plus tard, pour aller au cinéma.

— Où veux-tu aller ? demanda Tommy à sa passagère.

Sa réponse le surprit tout en lui procurant une satisfaction singulière. La même idée l'avait hanté toute la journée.

— Cela te dérangerait, si nous passions au cimetière ? dit Maribeth dans un soupir. Aujourd'hui j'ai occupé sa place à table. Je n'ai pas cessé de me dire qu'elle aurait pu être là... Que si elle avait été là, tes parents nageraient dans le bonheur... Je voudrais juste lui dire un petit bonjour.

— Moi aussi.

La même pensée l'avait tourmenté à table... Ils firent une halte chez un fleuriste où ils achetèrent un ravissant bouquet de roses pâles auréolées d'un nuage de gypsophile qu'ils déposèrent sur la petite dalle de marbre blanc.

— Salut, petit bouchon, chuchota Tommy, et il crut apercevoir les magnifiques yeux bleus d'Annie. Maman nous a préparé une délicieuse dinde rôtie aujourd'hui. Tu n'aurais pas aimé la farce, parce qu'elle y a ajouté des raisins.

Ils se recueillirent un instant en silence, main dans la main. Ils avaient du mal à croire que cela faisait presque un an qu'elle était partie.

— Salut, Annie, murmura Maribeth avant de quitter le cimetière.

Tous deux savaient qu'ils la ramenaient avec eux, qu'elle les suivait partout ; dans les souvenirs de Tommy, dans la chambre où Maribeth avait dormi un soir, dans le regard un peu absent de Liz quand elle songeait au passé.

— C'était une extraordinaire petite fille, déclara Tommy avec un sanglot dans la gorge, alors qu'ils s'éloignaient. Je n'arrive pas à croire qu'elle n'est plus là.

— Elle est là, dit Maribeth doucement. Tu ne peux pas la voir, mais elle sera toujours près de toi, Tommy.

— Tu as raison, mais elle me manque quand même.

Maribeth se rapprocha de son compagnon. Les fêtes lui avaient trop cruellement rappelé sa propre famille. Parler d'Annie n'avait fait que raviver le souvenir de Noelle. Noelle, dont elle n'avait pas eu de nouvelles depuis des mois. Noelle, à qui leur père interdisait de lire les lettres de son aînée.

De retour à la maison, Maribeth affichait un calme que son regard démentait. Tommy la connaissait trop bien pour ne pas se rendre compte que quelque chose la tracassait. Etait-ce l'émotion d'avoir été sur la tombe d'Annie ? A ce stade de sa grossesse tout était source d'angoisse.

— Comment te sens-tu ? Veux-tu t'étendre un peu ?

— Ça va, répondit-elle en s'efforçant de ravaler ses larmes. Dis, Tommy, est-ce que tes parents verraient un inconvénient à ce que je passe un coup de fil chez moi ? Juste pour leur souhaiter de bonnes fêtes...

Liz et John n'étaient pas encore rentrés.

— Bien sûr que non ! Vas-y.

Ses parents ne diraient rien, naturellement. De toute façon, il comptait leur proposer de régler la communication. Il sortit de la pièce au moment où elle donnait le numéro à l'opératrice. L'attente ne fut pas longue... Sa mère répondit au téléphone d'une voix essoufflée, tendue, que le vacarme qui semblait régner chez les Robertson rendait pratiquement inaudible. Ses tantes, leurs maris et leur progéniture devaient être sur place, comme toujours à Thanksgiving. Elles avaient une ribambelle de gamins en bas âge, dont les cris aigus empêchaient Margaret Robertson d'entendre la voix de sa fille.

— Allô... Allô... arrêtez donc ce bruit, je n'entends rien. Qui est à l'appareil ?

— Maman, c'est moi, s'époumona Maribeth. Je voudrais vous souhaiter un heureux Thanksgiving.

Mme Robertson fondit en larmes.

— Oh, mon Dieu ! Ton père va me tuer.

— Je voulais juste te dire bonjour, maman, murmura Maribeth, brûlant soudain d'une envie folle de serrer sa mère dans ses bras. Tu me manques tellement.

Des larmes ruisselèrent sur ses joues et Margaret Robertson faillit s'évanouir en l'entendant.

— Tu vas bien ? interrogea-t-elle à mi-voix, de manière à ne pas attirer l'attention de son entourage. Tu l'as eu ?

— Pas avant un mois.

Soudain, Maribeth entendit des éclats de voix à l'autre bout du fil. Quelqu'un avait brutalement arraché l'écouteur de la main de sa mère et une voix, plus coupante qu'un rasoir vint sur la ligne.

— Qui est-ce ? beugla Bert Robertson.

Les larmes de sa femme l'avaient renseigné sur l'identité de leur correspondante.

— Salut, papa. Je voulais vous souhaiter de bonnes fêtes.

Maribeth avait les mains qui tremblaient violemment, mais elle avait déployé un effort surhumain pour s'exprimer d'une voix normale.

— Est-ce que le problème est réglé ? s'enquit-il d'un ton brutal qui amena de nouvelles larmes aux yeux de Maribeth.

— Pas encore... C'était juste...

— Je t'ai déjà dit de ne pas appeler tant que tout ne sera pas rentré dans l'ordre. Tu pourras revenir quand tu t'en seras débarrassée. D'ici là, inutile de nous téléphoner, est-ce clair ?

— Oh, papa, s'il te plaît...

Elle percevait les pleurs plaintifs de sa mère à l'arrière-plan, auxquels s'était ajoutée la voix de Noelle suppliant leur père de ne pas raccrocher, mais il interrompit d'un geste sec la communication.

Maribeth reposa le combiné sur sa fourche, incapable de prononcer un mot de plus. Elle demeura prostrée, comme une enfant perdue, les épaules secouées de sanglots violents.

Tommy revint en courant dans la pièce.

— Que s'est-il passé ?

— Il ne m'a pas... laissée... parler à maman, hoqueta-t-elle... et il m'a dit de ne plus les rappeler jusqu'à ce que je me sois débarrassée du bébé... Il... Je...

Elle semblait si bouleversée qu'il dut la forcer à se coucher, de crainte qu'elle n'accouche avant terme. Maribeth était encore sous le choc quand les parents de Tommy revinrent, une demi-heure plus tard.

— Qu'est-il arrivé ? s'alarma Liz.

— Elle a appelé ses parents et son père lui a raccroché au nez. Elle était en train de parler à sa mère quand il a pris le téléphone pour lui signifier qu'il était inutile de les rappeler tant qu'elle n'avait pas réglé le problème du bébé... Quel sombre crétin ! Oh, maman, comment pourra-t-elle retourner là-bas ?

— Je ne sais pas, soupira Liz. Ce monsieur ne paraît pas être un modèle d'amour paternel. En revanche, elle est très attachée à sa mère. Bah, elle n'aura à le supporter que jusqu'au mois de juin...

C'était facile à dire. Liz se faisait une image très précise de ce qui attendait la fille prodigue lorsqu'elle retournerait enfin au bercail... Elle se dirigea d'un pas tranquille vers la chambre d'Annie et alla s'asseoir sur le lit où Maribeth pleurait à chaudes larmes.

— Vous ne devriez pas vous mettre dans cet état, dit-elle calmement en prenant sa main entre les siennes. Vous vous faites du mal ainsi qu'à votre bébé.

— Pourquoi est-il aussi dur ? Pourquoi m'interdit-il de parler à Noelle et à maman ?

Elle ne mentionna pas Ryan, qu'elle tenait pour une copie conforme de leur père.

— Sans doute croit-il les protéger de vos erreurs. Il ne comprend pas... Ce qui est arrivé le dépasse.

— Moi aussi. Pourtant mes sentiments à leur endroit n'ont pas changé.

— Il est incapable de comprendre pour le moment. Vous avez de la chance, Maribeth. Vous êtes intelligente et vous avez bon cœur. Et puis vous avez un avenir, lui n'en a pas.

— Parlons-en, de mon avenir. Je suis sûre que tout le monde est au courant là-bas. On adore colporter des ragots, dans cette ville. J'ignore qui aura répandu la nouvelle, mais je suis certaine qu'ils me montreront du doigt, quand je rentrerai. Même si je suis partie avant... avant que cela se voie... Ils vont me détester. Les hommes me prendront pour une fille facile, les femmes me trouveront mauvais genre. Papa ne m'autorisera jamais à m'inscrire à l'université après le lycée. Il m'obligera à travailler pour lui au garage ou à aider maman à la maison. Ce sera un enterrement de première classe.

— Ma chérie, rien ne vous oblige à suivre les traces de votre mère. Elle a choisi sa vie, vous choisirez la vôtre. Vous savez qui vous êtes, Maribeth, et que toute cette histoire n'est qu'une lamentable erreur. Finissez d'abord le lycée, prenez ensuite une décision ferme sur ce que vous souhaitez faire. Et vous y arriverez.

— Il ne me laissera plus jamais leur parler. Je n'aurai plus jamais le droit d'adresser la parole à maman.

De nouveaux sanglots la secouèrent. Liz la prit dans ses bras, se mit à la bercer. Elle ne pouvait rien faire d'autre pour elle. A la seule pensée que cette merveilleuse enfant irait rejoindre ces gens épouvantables, elle sentait son cœur se briser. Elle comprenait à présent pourquoi Tommy tenait tant à l'épouser. Mais en dépit de tous ses mauvais côtés, c'était sa famille et Liz savait qu'à sa manière, Maribeth lui était attachée. Elle avait toujours dit clairement qu'elle retournerait à la maison, après la naissance du bébé. Ses parents lui manquaient et, d'une certaine façon, elle avait hâte de les revoir.

— Il se montrera plus clément à votre retour, tenta-t-elle de l'encourager, mais Maribeth secoua la tête.

— Oh, non, il sera pire. Il ne ratera pas une occasion de me rappeler ma faute, comme il le fait avec mes tantes. Il n'arrête pas de les harceler sur la façon dont elles se sont mariées... Combien de fois ne se sont-elles pas senties humiliées... du moins l'une d'entre elles. Elle pleurait tout le temps. L'autre ne s'est pas laissé faire et lui a tenu tête. Un beau jour, elle a rétorqué à mon père que s'il continuait, son mari lui casserait la figure. Depuis, il s'est calmé.

— Voilà une leçon à retenir, dit Liz, songeuse. Il faudrait que vous lui fassiez clairement savoir que vous ne supportez pas ses insultes.

Mais elle n'avait que seize ans. Comment aurait-elle le courage de s'opposer à son père ? Sa bonne étoile l'avait mise sur le chemin des Whittaker. Sans eux, elle se serait retrouvée complètement seule dans l'univers hostile où ses parents l'avaient expédiée.

Liz lui fit du thé, puis tout le monde partit au cinéma. Après le film, Maribeth se sentit mieux. Plus personne ne mentionna l'incident de l'après-midi et chacun se retira dans sa chambre assez tôt dans la soirée.

— J'ai tellement pitié d'elle, murmura Liz à John, quand ils furent couchés.

Ils étaient de nouveau capables de communiquer, maintenant, d'évoquer un tas de sujets.

— Tommy aussi, répondit-il.

— C'est drôle qu'elle tienne à ce point à retourner chez ses parents. Ça me fait mal au cœur, rien que d'y penser.

— Ils sont tout ce qu'elle a au monde. Et elle est encore si jeune... Mais ça ne durera pas. Elle volera de ses propres ailes quoi qu'en dise son père.

— Un superbe spécimen de tyran domestique, celui-là. Peut-être que si quelqu'un lui disait ses quatre vérités...

Liz s'interrompit, pensive, puis reprit :

— Ce dont elle a besoin, c'est d'une échappatoire. Quelque part où aller si les choses tournaient mal là-bas.

— Il est hors de question que Tommy l'épouse ! déclara John avec fermeté. En tout cas, pas tout de suite. Ce sont encore des enfants. Tommy n'a pas à assumer une erreur dont il n'est pas responsable, même s'il en meurt d'envie.

— Je sais... je sais... soupira-t-elle d'un ton las.

Elle n'avait nullement l'intention de sacrifier Tommy, pas plus que d'abandonner Maribeth à son triste sort. C'était une jeune fille remarquable qui avait croisé leur chemin pour une raison dont Liz ignorait encore le sens profond. En tout cas, pour rien au monde elle ne lui tournerait le dos.

— Reste en dehors de tout ça, Liz. Elle aura son bébé, puis elle retrouvera ses parents. Si un problème se présentait, elle pourra toujours nous appeler à son secours. Tommy restera en contact avec elle.

La distance qui bientôt les séparerait ne ferait que renforcer leur amour.

— Je veux leur parler ! s'exclama subitement Liz, en le regardant droit dans les yeux. Aux parents, je veux dire.

— Ne te mêle pas de leurs affaires.

— Il ne s'agit pas de leurs affaires mais de celles de Maribeth. Ces gens ont laissé leur fille livrée à elle-même au moment où elle avait le plus besoin de leur compréhension. Ils l'ont rejetée, ils l'ont mise en face de

ses problèmes sans même lui tendre la main. Je ne vois
pas de quel droit ils osent encore lui dicter sa conduite.

— Parce que chacun voit midi à sa porte, répondit
John, puis il sourit.

Il aimait la fougue avec laquelle Liz s'impliquait dans
des combats idéologiques, sa façon de prendre la
défense des opprimés. Elle s'était tenue à l'écart de tout
pendant près d'un an. Grâce à Maribeth, l'ancienne
étincelle s'était rallumée dans son cœur.

— Tiens-moi au courant de ta décision, sourit-il,
alors qu'elle éteignait la lumière.

— Accepterais-tu de m'accompagner si j'allais les
voir ? demanda-t-elle d'un ton uni. J'ai envie de me
rendre compte de la situation par moi-même avant que
Maribeth ne retourne là-bas.

Elle éprouvait une affection quasi maternelle à l'égard
de Maribeth. Un jour, il se pourrait que celle-ci
devienne sa belle-fille. Quoi qu'il en soit, Liz ne
comptait pas la laisser à la merci de ces sans-cœur,
fussent-ils ses parents.

— Quand veux-tu que nous y allions ? répondit-il
simplement.

— Je leur passerai un coup de fil demain... Merci,
John.

Ils étaient amis, à nouveau. Rien de plus. Mais c'était
déjà quelque chose.

9

A contrecœur, Maribeth présenta sa démission à son employeur le lundi après Thanksgiving. Au terme d'une longue discussion, Liz était parvenue à la convaincre qu'elle avait besoin de repos, afin de préparer ses examens... Elle quitterait son travail le 15 novembre et s'installerait chez les Whittaker jusqu'à la naissance du bébé, attendu juste après Noël. Ils l'avaient tous incitée à venir, et elle avait accepté leur généreuse invitation avec gratitude. A mesure que la délivrance approchait, sa nervosité augmentait... La solitude lui pesait chaque jour davantage. Habiter la somptueuse villa, près de Liz, de John et surtout de Tommy représentait à ses yeux la solution idéale... Liz avait persuadé John que cet arrangement était une bonne chose et qu'ils le devaient à Tommy.

— Et puis, poursuivit-elle, il ne faut pas la laisser seule *après*. Elle vivra une pénible expérience quand son bébé lui sera enlevé.

Liz connaissait bien les affres dans lesquelles sa protégée se débattait. Ayant perdu son enfant, elle ne comprenait que trop bien l'atroce souffrance qui déchirerait Maribeth en se séparant de son bébé. Une douleur intense, fulgurante, presque mortelle, et Liz tenait à être à son côté pour la soutenir. Sans s'en apercevoir, elle en était venue à chérir tendrement la jeune fille. Les cours que Liz donnait à la jeune fille avaient tissé entre elles un lien indestructible. Le professeur admirait chaque jour davantage les remarquables capacités de son élève et en particulier son acharnement à s'améliorer. Maribeth souhaitait désespérément réussir ses examens, son seul passeport pour un avenir meilleur.

Les employés du restaurant apprirent le départ de Maribeth avec tristesse. Une fois de plus elle dut mentir, en racontant qu'elle souhaitait mettre au monde son enfant dans sa ville natale. Personne n'avait su qu'elle n'avait jamais été mariée ou qu'elle comptait faire adopter le bébé. Serveuses, serveurs et garçons de cuisine lui dirent au revoir, la couvrirent de cadeaux pour le petit être qui, bientôt, ouvrirait les yeux sur la vie. Chaussons, brassières, sweaters minuscules tricotés à la main, une couverture bleu et rose festonnée d'adorables petits canards brodés, un ourson, des jouets. Jimmy lui offrit une chaise haute équipée d'un plateau.

Maribeth regarda, les yeux noyés de larmes, tous ces présents ; son cœur s'était mis à battre la chamade. Aucun de ces objets ne servirait au bébé, se dit-elle en refoulant ses sanglots, et pour la première fois, elle réalisa quelles souffrances elle allait endurer en renonçant à son bébé. Soudain, celui-ci acquit une existence presque charnelle. Il serait bientôt là... Ces petits vêtements, ces chaussettes, ces bonnets en témoignaient. Il avait même déjà une chaise et un ourson... Ce qui lui manquait, c'était un foyer. Un père et une mère qui, tendrement, veilleraient sur son berceau... Le jour-même, elle appela le Dr MacLean pour lui demander où en était la procédure d'adoption.

— Trois couples sont intéressés, répondit le médecin d'un ton circonspect. J'ignore s'ils feront l'affaire. Chez le premier couple, le mari a un fort penchant pour l'alcool et c'est un gros problème. Le second vient d'apprendre que la femme est enceinte. Le troisième ne paraît pas encore décidé... Nous avons encore un peu de temps devant nous.

— Deux semaines, docteur... deux semaines.

Elle refusait de ramener le bébé à la maison et de s'en séparer par la suite. Elle ne pourrait pas le supporter. Et il était tout aussi hors de question de retourner chez les Whittaker avec le bébé, leur imposant ainsi une nouvelle épreuve.

— Nous trouverons une solution, Maribeth, je vous le promets. Sinon, il y a toujours une autre possibilité : laisser le nourrisson à l'hôpital pendant une ou deux semaines. Il faut trouver la bonne famille, comprenez-vous ? Nous ne pouvons pas nous permettre de nous tromper, n'est-ce pas ?

Elle en avait convenu mais, soudain, la chaise de bébé offerte par Jimmy, et qu'elle avait placée dans un coin de sa chambre lui parut sinistre, presque menaçante. Elle avait promis à ses collègues de les tenir au courant et de tout leur raconter : le jour de l'accouchement, le sexe du bébé, son nom. Ses mensonges n'avaient fait que rendre les adieux plus pénibles encore.

— Prenez soin de vous, d'accord ? avait recommandé Julie. Je continue à penser que vous auriez dû épouser Tommy.

Et les autres avaient renchéri en ajoutant que cela arriverait sûrement, après la naissance du petit.

La même pensée tourmentait le Dr MacLean lorsqu'il raccrocha. Il hésitait à rechercher une famille adoptive, car il craignait que Maribeth et Tommy regrettent ce geste plus tard. Il aurait voulu en toucher deux mots à Liz Whittaker mais n'osait la déranger. C'était une question délicate, un problème qu'il allait devoir résoudre rapidement. Il se promit de s'y mettre activement et de trouver des parents adoptifs dignes de confiance.

Le lendemain de son départ du restaurant, Tommy l'aida à emménager à la villa. Elle avait empilé les affaires du bébé dans des cartons et l'avait prié de les ranger dans le garage. Les avoir sous les yeux lui causait trop de peine.

Le samedi matin, Liz leur annonça qu'elle accompagnait John dans un de ses déplacements. Il avait l'intention de visiter une nouvelle chaîne de produits alimentaires. Ils ne seraient pas de retour avant dimanche.

Les deux jeunes gens consacrèrent leur après-midi à faire des courses de Noël. Maribeth fit l'acquisition d'un camée pour Liz et d'une pipe pour John. Tout en se promenant dans les boutiques, elle effleurait du regard les jouets, les langes, les vêtements d'enfants.

— Pourquoi ne lui achètes-tu pas quelque chose ? suggéra Tommy comme s'il avait deviné ses pensées. Un animal en peluche ou un médaillon, quelque chose qu'il conservera en souvenir de toi.

Il regretta aussitôt sa proposition, imaginant déjà Maribeth en train de chercher le médaillon au cou de chaque gamin croisé.

— Je dois le laisser s'en aller, Tommy. Complètement, rétorqua-t-elle, la voix brisée par un sanglot.

— On ne doit pas toujours laisser partir les gens, marmonna-t-il en la regardant fixement.

Elle opina de la tête. Si les choses s'étaient passées différemment, elle aurait gardé le bébé et elle n'aurait pas souhaité s'éloigner de Tommy. Or, souvent, la vie se charge de vous retirer ce à quoi vous tenez le plus. Parfois, le compromis se révèle néfaste pour tout le monde. Tommy le savait également. Il avait déjà perdu un être cher. Et il n'avait pas l'intention de renoncer à Maribeth. Ni à son bébé.

Ils regagnèrent la résidence Whittaker, les bras chargés de paquets et Maribeth prépara un succulent dîner. Liz et John ne reviendraient pas avant le lendemain après-midi. « On dirait un vrai couple », songea Tommy béatement tandis qu'il l'aidait à faire la vaisselle. Ils passèrent la soirée devant la télévision, assis côte à côte sur le vaste canapé comme de jeunes mariés. Tommy attira Maribeth dans ses bras et l'embrassa.

— J'ai l'impression que nous sommes déjà mariés,

pouffa-t-il, en lui caressant le ventre et en sentant sous sa paume les coups de pied du bébé.

L'intimité qui existait entre eux était étonnante, compte tenu qu'ils n'étaient même pas amants. Parfois, ils l'oubliaient. Maribeth l'enlaça, sentant contre elle la preuve de son immense désir pour elle. Après tout il n'avait que seize ans. Le moindre geste, le plus infime mouvement, suffisait à le rendre comme fou.

— Tu n'es pas supposé désirer des filles qui pèsent une tonne, le taquina-t-elle.

Elle s'était redressée et faisait les cent pas en se frottant les reins. Son mal de dos s'était accentué et son ventre lui semblait plus lourd depuis quelques jours, plus bas aussi. Signe d'un accouchement imminent, auquel elle essayait de ne pas songer. Elle était grande et élancée, mais elle avait des hanches étroites et la peur fondait sur elle chaque fois qu'elle pensait à la délivrance. Elle le dit à Tommy, et il s'efforça de la rassurer.

— Si ça se trouve, tu ne sentiras rien, affirma-t-il, alors qu'ils dégustaient un bol de glace à la vanille.

— Espérons-le, soupira-t-elle. Qu'est-ce qu'on fait demain ?

— Que dirais-tu d'aller acheter un sapin, et de le décorer avant que maman et papa ne reviennent à la maison ? Ce serait une bonne surprise, non ?

Maribeth acquiesça. Plus tard, alors qu'elle était allongée sur le lit étroit d'Annie, Tommy entra dans la pièce et s'assit près d'elle.

— Si nous dormions dans la chambre de mes parents ? Il y a beaucoup plus de place... Ils ne le sauront jamais.

Ils avaient promis d'être sages.

— Oh, si ! répliqua fermement Maribeth. Les parents savent toujours tout.

— Maman prétend la même chose. (Il sourit.) Allez, Maribeth. Nous n'aurons pas une seconde chance. Ils s'absentent une fois tous les cinq ans.

— Ta mère n'apprécierait pas, dit-elle platement.

— Alors, viens dormir dans mon lit. Il est plus large que celui-ci.

Elle mourait d'envie de s'assoupir dans ses bras.

— Bon, d'accord.

Elle le suivit dans sa chambre. Tous deux se couchèrent, elle en chemise de nuit, lui en pyjama, et se tinrent enlacés, gloussant et bavardant comme des gosses... Il l'embrassa alors longuement, et un violent désir les transperça comme un glaive. Elle le serra contre elle, et comme dans un éblouissement, elle sentit sa bouche sur ses seins. Un gémissement lui échappa. Tommy la dévorait de baisers. Consumés d'une même flamme, ils s'embrassèrent avec une fougue inaccoutumée. « Il ne faut pas », se disait vaguement Maribeth. Pourtant, elle avait la sensation d'avoir enfin trouvé sa place après un long et laborieux voyage. Pour la première fois, l'idée du mariage ne lui répugna pas.

— C'est ainsi que je veux être, murmura le garçon contre la peau satinée de son cou.

Le gros ventre de Maribeth formait autour de son corps embrasé un bouclier protecteur. Craignant de ne pouvoir éteindre le brasier ardent qui menaçait de les dévorer, ils avaient cessé leurs caresses et s'étaient laissé envahir par une agréable torpeur. Leurs paupières s'alourdissaient.

— Je veux rester avec toi pour le restant de mes jours, reprit Tommy d'une voix ensommeillée. Le prochain bébé dans ton ventre sera le mien, Maribeth. C'est mon rêve le plus cher.

— Le mien aussi...

Elle était sincère mais, en même temps, elle avait envie de vivre sa vie pleinement, comme la mère de Tommy l'avait fait avant son mariage.

— J'attendrai... papa a bien attendu maman... Mais pas aussi longtemps que lui. Un an ou deux, décida-t-il, submergé par l'incommensurable volupté de la tenir contre son cœur. Nous pourrions nous marier et aller à l'université ensemble.

— Et comment vivrons-nous?

— Ici, chez mes parents.

Maribeth secoua la tête.

— Quand nous nous marierons, si cela nous arrive, nous serons capables de subvenir à nos besoins par nos propres moyens, décréta-t-elle d'un ton péremptoire. Nous serons des adultes prêts à assumer nos responsabilités. Peu importe l'âge que nous aurons...

— Au moins soixante ans, sourit-il en étouffant un bâillement. Je voudrais que vous sachiez qu'un jour vous serez ma femme, Maribeth Robertson! Tu auras du temps pour t'habituer à cette idée.

Elle n'émit aucune objection. Un sourire se dessina sur ses lèvres, tandis qu'elle sombrait dans le sommeil, dans les bras de Tommy, en pensant à Annie et à son bébé.

10

Le lendemain, ils sortirent de bonne heure ; après avoir acheté un arbre de belle taille, Tommy fit l'acquisition d'un petit sapin, qu'il mit dans le coffre de la camionnette, avec le grand... De retour à la maison, il sortit de leurs boîtes les guirlandes et les petits personnages qui devaient décorer le sapin. En les regardant, les larmes lui montèrent aux yeux. La plupart avaient été fabriqués un an plus tôt, par Annie et leur mère.

— A ton avis, faut-il les ressortir ou pas ?

Ils hésitaient, persuadés que Liz reconnaîtrait sur-le-champ les rubans pailletés de strass, les bonshommes en massepain, les guirlandes de papier doré et les étoiles scintillantes. Ils ne savaient que faire, ne sachant quelle serait sa réaction ; et pourtant, laisser les décorations dans un tiroir serait renier Annie. Aussi, après avoir longtemps tergiversé, ils décidèrent de les utiliser. Cela leur paraissait plus sain, plus franc que de prétendre qu'ils n'avaient jamais existé... Vers quinze heures, ils se félicitèrent de leur œuvre. L'arbre illuminait le vaste salon, semblable à quelque navire s'apprêtant à lever l'ancre vers un pays enchanteur.

Maribeth avait préparé un repas léger, composé de sandwiches au thon et à la laitue. Après le déjeuner, alors qu'ils prenaient le café dans le salon, Maribeth aperçut une boîte oblongue posée près de Tommy.

— Qu'est-ce que c'est ?

— Rien. Je dois aller quelque part. J'aimerais que tu m'accompagnes, si tu n'es pas trop fatiguée.

— D'accord, allons-y. Où est-ce ?

— Tu verras bien.

Ils mirent leur manteau. Des flocons de neige valsaient dans l'air cristallin quand ils sortirent de la maison. Tommy ouvrit le coffre de la camionnette et y déposa la boîte, près du petit sapin... Maribeth comprit alors ce qu'il voulait faire... Passer au cimetière afin d'offrir le petit sapin à Annie.

Tommy déposa l'arbre fixé sur un socle de bois en forme de croix, sur la dalle de marbre blanc. Maribeth l'avait suivi avec la boîte. Elle contenait de délicats ornements : oursons, soldats de plomb soufflant dans des cors métalliques, anges, ainsi qu'un joli cordon de perles de verre et une longue guirlande vif-argent... Tous deux s'attelèrent à la tâche et l'opération ne prit guère plus d'une dizaine de minutes. Le sapin fut paré de tous ces objets lumineux et scintillants que la petite fille avait affectionnés, comme elle avait aimé tout ce qui se rapportait aux fêtes de Noël... Tommy laissa libre cours à ses larmes. Son regard dériva vers un cyprès sous lequel Maribeth attendait, adossée au tronc rugueux et droit. Son ventre menaçait de faire exploser les boutons de son manteau, mais la douceur de ses yeux lui rappela, par contraste, le regard espiègle d'Annie.

Il alla la prendre par la main et la ramena vers la petite pierre tombale où étincelait le sapin. Annie aurait approuvé son initiative, il le sentait.

— Maribeth, je t'en supplie, épouse-moi. Je t'aime.

— Je t'aime aussi, Tommy, mais ne me demande pas une chose pareille. Pas maintenant.

— Je ne veux pas te perdre, souffla-t-il, les yeux rivés à l'endroit où reposait sa petite sœur. Je l'ai perdue... je ne supporterai pas de te perdre toi aussi. S'il te plaît, marions-nous.

— Pas encore, répondit-elle avec douceur, craignant

de n'être pas à la hauteur, de le décevoir si elle exauçait son vœu avec trop de hâte.

— Alors, promets-moi de m'épouser plus tard.

— Tommy Whittaker, je te fais aujourd'hui la promesse solennelle de t'aimer pour toujours.

Elle était plus que sincère. Elle savait — elle l'avait su dès le premier jour — qu'elle n'oublierait jamais Tommy. Il était de ces êtres dont on a envie de partager l'existence... Mais ce qui lui était arrivé l'avait rendue méfiante. On ne sait jamais où la vie vous mène.

— Me promets-tu de m'épouser ? répéta-t-il.

— Oui, si les années n'ont pas atténué nos sentiments. Si nous sommes toujours d'accord, l'un comme l'autre.

— Je serai toujours là pour toi, Maribeth.

— Moi aussi. Je serai toujours ton amie, Tommy. Je t'aimerai toujours.

Si la chance lui souriait, un jour elle serait sa femme. Elle le souhaitait ardemment aujourd'hui, à seize ans, mais qu'adviendrait-il de leur passion dans quelques années ? Leur amour vaincrait peut-être le temps. Ou alors, semblables à des feuilles mortes emportées par le vent, leurs chemins se sépareraient à jamais.

— Je suis prêt à t'épouser quand tu veux, affirmat-il.

— Merci, murmura-t-elle en se hissant sur la pointe des pieds pour l'embrasser.

Ils admirèrent en silence le petit sapin de Noël, puis il dit tranquillement :

— Elle t'aurait aimée aussi. J'aurais voulu qu'elle soit là.

Ils regagnèrent la camionnette. Le froid s'était intensifié. Ils n'échangèrent pas un mot durant le trajet, mais la paix qu'ils ressentaient était si forte que les paroles étaient inutiles.

Ils passèrent l'après-midi dans le salon à regarder de vieux albums de photos. Maribeth émit un rire amusé à la vue du bébé joufflu qu'avait été Tommy à l'âge de six mois. Il y avait aussi des photos d'Annie qu'ils regardèrent ensemble, en souriant.

Maribeth prépara le dîner en attendant le retour des parents. John et Liz regardèrent l'arbre de Noël... surtout Liz. Son regard détailla un instant les décorations familières, après quoi elle sourit à son fils.

— Tu as bien fait de les accrocher à l'arbre. Elles m'auraient manqué autrement.

Il lui rendit son sourire, heureux d'avoir vu juste.

— Merci, maman.

Durant le dîner, ils évoquèrent vaguement leur voyage. Tout s'était bien passé, annonça Liz. A vrai dire, elle n'avait pas l'air enthousiaste. John s'était contenté d'un hochement de tête satisfait. Leur expédition s'était passée aussi bien que possible, compte tenu des circonstances. Le regard de Liz se portait discrètement sur son fils et sur Maribeth. Ils lui parurent plus sérieux, plus calmes, comme si un lien encore plus puissant les avait unis durant ces deux derniers jours.

— J'espère qu'ils n'ont pas fait de bêtises pendant notre absence, soupira-t-elle plus tard dans la nuit, alors qu'ils s'étaient retirés dans leur chambre.

John eut un sourire amusé.

— Oh, non, rassure-toi... Elle est enceinte de neuf mois, ma chérie. Même un adolescent fougueux n'aurait pas réussi à venir à bout d'un obstacle pareil. Tes craintes ne sont pas fondées.

— Et s'ils s'étaient mariés pendant que nous...

— En tant que mineurs, ils auraient eu besoin d'une autorisation parentale écrite.

— Bon, mais ils m'ont l'air différents. Plus proches, plus complices. On dirait un vrai petit couple.

Leur bref voyage avait définitivement rapproché les deux époux. Inspiré par la chambre d'hôtel (un endroit neutre et propice à l'amour) John s'était enhardi. Une tendre étreinte les avait unis, après quoi il l'avait invitée à dîner dans un excellent restaurant.

— Ils sont éperdument amoureux l'un de l'autre, rétorqua John. Nous devons l'accepter.

— Crois-tu qu'ils se marieront un jour ?

— Seul le temps le dira... Personnellement, je souhaiterais qu'ils restent ensemble.

— Pourtant, elle préfère attendre.

Un sourire espiègle éclaira la figure de John.

— Je connais ce genre de femme... S'il s'agit d'un véritable amour et pas d'un simple engouement, il résistera à tout. Ils se retrouveront, ils recommenceront une nouvelle vie.

— En attendant, notre petite amie a un mauvais moment à passer. Je n'aimerais pas être à sa place.

— Tu veux parler de l'accouchement ? s'étonna John.

Liz ne s'était jamais plainte de ses accouchements.

— Ce n'est rien à côté de la douleur d'abandonner l'enfant.

John acquiesça. Il regrettait que la vie ait si mal débuté pour Maribeth. Il regrettait que son fils fût mêlé à ces circonstances dramatiques. Et, pourtant, quelque part au fin fond de son subconscient, une partie de lui-même enviait leur amour si fragile encore et en même temps si éclatant.

Liz s'endormit blottie contre lui, ce soir-là, alors que Maribeth et Tom s'étaient attardés au salon. Ils avaient mille choses à évoquer. Mille choses à se dire. Liz ne s'était pas trompée. Ils avaient l'impression de n'être qu'une seule et même personne. Et pour la première fois de sa vie, Maribeth découvrit qu'elle avait un avenir.

Le réveille-matin sonna de bonne heure. Maribeth passa rapidement sous la douche avant de s'habiller. Elle apparut sur le seuil de la cuisine, prête à aider Liz dans les préparatifs du petit déjeuner. Cette dernière avait réussi à obtenir un arrangement avec l'école. Maribeth allait passer une interrogation écrite, spécialement conçue pour elle, qui, si tout allait bien, lui ferait gagner le premier semestre de la terminale. Tommy passait également des examens de contrôle, et ils en parlèrent longuement tout en dégustant leur petit déjeuner. Liz avait également obtenu de la direction que Maribeth passe son examen dans une pièce isolée, de manière que personne ne puisse l'apercevoir. Elle lui avait promis d'aller la rejoindre après les tests de la matinée.

Les deux jeunes gens se séparèrent devant l'école. Ils se souhaitèrent bonne chance avant de partir chacun de son côté.

Le reste de la semaine s'écoula à une vitesse stupéfiante. Le week-end suivant était le dernier avant Noël. Ayant fini ses achats, sur le chemin de la maison, Liz hésita un instant avant de faire demi-tour et de prendre la direction opposée... Elle éprouvait l'envie soudaine de se recueillir sur la tombe d'Annie... Des mois durant, elle s'était esquivée, de crainte de raviver des souvenirs trop cruels. Mais aujourd'hui, une irrépressible envie la poussait à y aller.

Elle franchit les grilles du cimetière en voiture et roula jusqu'à la petite tombe. Elle descendit du véhicule et s'approcha. Sa gorge se contracta lorsqu'elle vit le sapin décoré... Le vent l'avait couché sur le flanc, faisant tinter les ornements... Elle le remit sur son socle et regarda avec attention chaque objet scintillant, les mêmes qu'Annie avait suspendus aux branches à peine un an plus tôt. Ses petites mains avaient accroché les décorations avec mille précautions... Des bribes de phrases qu'elle avait alors prononcées lui revinrent brutalement en mémoire.

Soudain, les souvenirs la submergèrent, prêts à l'engloutir, et elle se mit à pleurer silencieusement sur son petit trésor perdu à jamais. Enfin, elle caressa du bout des doigts les branches hérissées d'aiguilles piquantes en murmurant son nom... Un son doux comme une musique qui lui alla droit au cœur.

— Je t'aime, mon petit amour. Je t'aimerai toujours, ma jolie, ma douce Annie.

Le mot « au revoir » ne put franchir ses lèvres. Elle regagna la voiture à petits pas, les jambes flageolantes. Mais un étrange sentiment de paix s'était glissé dans son âme.

La maison était vide quand elle rentra et Liz en fut soulagée. Elle avait besoin de reprendre ses esprits. Elle trouva refuge dans le salon, devant le grand arbre de Noël, chargé lui aussi d'une kyrielle de souvenirs... Ce premier Noël sans Annie serait une épreuve difficile. De toute façon, chaque jour sans elle était un supplice. Chaque repas, chaque réveil, chaque promenade aux abords du lac, tout criait l'absence d'Annie... Annie qui leur avait rendu une brève visite avant de remonter au ciel. S'ils avaient su... Mais qu'est-ce que ça aurait changé ? L'auraient-ils aimée, dorlotée, cajolée davantage ? Ils avaient fait le maximum. Et cependant, Liz aurait donné sa vie entière pour sentir une fois de plus les menottes de son petit chérubin autour de son cou. Et ses lèvres si douces contre sa joue...

Elle était encore assise là, ayant perdu la notion du temps, quand les enfants firent irruption dans la pièce. Yeux scintillants. Visages juvéniles. Pommettes rougies par le froid.

Elle leur sourit, mais Tommy devina à ses yeux brillants qu'elle avait pleuré.

— Merci d'avoir apporté l'arbre à... murmura-t-elle, butant sur chaque syllabe... merci.

Elle quitta la pièce d'un pas rapide, comme si elle voulait fuir ses souvenirs.

John arriva peu après, les bras chargés de cadeaux. Liz préparait le dîner dans la cuisine. A sa vue, un sourire illumina ses traits fins. Il y avait plus de chaleur entre eux maintenant, constata Tommy. Peu à peu, les pièces retrouvaient leur place dans le puzzle dévasté par la disparition d'Annie.

Ils se rendirent à la messe de minuit, comme tous les ans. Les chants, les lueurs des bougies, l'encens ne firent que rappeler un peu plus Annie à sa mère. Encore un an plus tôt, elle était là, devant la crèche, cherchant d'un regard anxieux le petit Jésus... Les premiers symptômes de la maladie étaient apparus, mais ils ne le savaient pas encore...

De retour à la maison, John se retira immédiatement dans leur chambre. Liz plaça les paquets sous l'arbre. Cette année il n'y aurait pas d'assiette de carottes pour le renne, pas de gâteau pour le père Noël. Et pas de cris de joie enfantins, le lendemain, à la découverte des cadeaux. Heureusement, ils n'étaient pas seuls.

Elle s'apprêtait à monter, quand Maribeth entra dans la vaste pièce, un monceau de paquets dans les bras : des cadeaux pour eux tous. Elle se déplaçait difficilement, à la lumière tamisée des abat-jour. Le bébé était placé très bas à présent et elle était contente d'avoir fini ses examens.

— Attendez, je vais vous donner un coup de main, proposa Liz, en l'empêchant de se pencher.

— Je peux à peine marcher, se plaignit Maribeth sans amertume. M'asseoir, me lever ou me baisser relève de l'exploit. Et je ne peux plus voir mes pieds.

— Ce sera bientôt fini, répondit Liz d'un ton encourageant.

Maribeth la regarda. Voilà des jours qu'elle cherchait à la voir seule, sans John ou Tommy à proximité.

— Pourrais-je vous parler quelques minutes ?

— Maintenant ?... oui, bien sûr.

Elles prirent place sur le canapé, face à l'arbre où rayonnaient les guirlandes dorées d'Annie.

— J'ai beaucoup réfléchi, madame Whittaker, commença Maribeth d'une voix anxieuse... Je ne sais pas ce que vous en penserez... Je voudrais vous donner mon bébé.

La dernière phrase l'avait laissée sans souffle, comme si elle lui avait demandé un effort surhumain.

— Vous... *quoi?*

Liz la considéra sans comprendre. L'énormité de la déclaration de Maribeth dépassait son imagination.

— Que voulez-vous dire? reprit-elle, interloquée.

Les bébés n'étaient guère des objets que l'on pouvait offrir à des amis, en guise de cadeaux de Noël.

— Je voudrais que John et vous l'adoptiez, déclara Maribeth d'une voix plus ferme.

— Pourquoi?

Liz n'avait jamais songé à l'adoption. Sauf des années auparavant, avant la naissance de Tommy.

— J'ai envie de vous donner mon bébé parce que je vous aime et que vous êtes des parents merveilleux, répéta doucement Maribeth, les mains tremblantes. Je ne peux pas m'occuper de lui. Je sais que ça peut paraître extravagant, mais je n'y arriverai pas. Vous, en revanche, vous saurez l'aimer et l'élever comme vous l'avez fait pour Annie et Tom... Un jour, plus tard, je serai peut-être moi aussi une excellente mère. Pour l'instant, c'est au-dessus de mes forces... Je veux que vous l'ayez, Liz. Je ne reviendrai jamais vous le réclamer, ni même vous importuner d'une visite si vous vous y opposez... Mon bébé sera heureux avec vous. Vous êtes les parents dont il a besoin... Oh, Liz, ce serait l'idéal pour lui, j'en suis sûre.

Elle s'était mise à pleurer. Liz lui avait saisi les mains, en larmes, elle aussi.

— Maribeth, on ne donne pas un enfant comme s'il s'agissait d'un simple paquet-cadeau, comprenez-vous? Un enfant est une vie. Une personnalité à part entière.

— Je le sais. Je sais tout ça. Je n'ai pas cessé d'y réfléchir depuis neuf mois. Et je sais ce que je fais, croyez-moi.

Sa décision semblait sans appel. Liz la dévisagea, bouleversée. Et si elle changeait d'avis? Comment réagirait son fils? Quelle serait sa réaction si ses parents

adoptaient le bébé de Maribeth... n'importe quel bébé ?
Et John ? Liz crut qu'elle allait défaillir.

— Et Tommy ? articula-t-elle péniblement. Quels
sont vos sentiments vis-à-vis de lui ? C'est sérieux ?

— Absolument. Mais je ne veux pas reprendre un
mauvais départ. Je n'ai pas désiré ce bébé. Ce qui m'est
arrivé n'a pas de sens... La providence m'a choisie pour
le mettre au monde au bon endroit, parmi les bonnes
personnes. C'est-à-dire vous, Liz, et M. Whittaker. Un
jour, j'épouserai Tommy et nous aurons des enfants que
nous aurons voulus d'un commun accord.

Liz gardait le silence, tourmentée par les questions
qu'elle s'était mille fois posées, sans jamais en avoir
trouvé la réponse... Son fils n'avait que seize ans. Il
serait injuste qu'il commence sa vie d'adulte en élevant
l'enfant d'un autre homme. Mais d'un autre côté...

— Je sais que ce bébé est pour vous, Liz, reprit
Maribeth. J'en ai eu la révélation... Ce n'est pas le
hasard qui a conduit mes pas jusqu'ici. J'ai échoué dans
cette ville parce que le destin en avait décidé ainsi... à
cause de tout ce qui a précédé mon arrivée... à cause
d'Annie.

— Je ne sais quoi vous dire, murmura Liz, le visage
sillonné de larmes. C'est le plus beau cadeau que l'on
puisse imaginer. Mais je ne suis pas sûre que ce soit
juste... On ne prend pas le bébé d'une autre femme
d'un cœur léger.

— Même si celle-ci vous en supplie ? Et puis, qu'est-
ce qui est juste, au fond ? Le fait que vous ayez perdu
votre petite fille ? La certitude que mon bébé naîtra sans
foyer, sans argent, sans espoir ? Vous me direz que je
peux le garder. Dans ce cas, mes parents rompront
définitivement les ponts. Je n'ai nulle part où aller. Je
me verrai obligée de servir *Chez Jimmy* pour le restant
de mes jours... Mon salaire ne me permettra même pas
d'engager une baby-sitter si, par miracle, je parviens à
m'inscrire à un cours du soir.

Ses yeux imploraient Liz d'accepter son bébé.

— Vous pouvez habiter ici, rester avec nous aussi longtemps qu'il le faudra. Vous n'êtes pas obligée de renoncer à ce bébé, Maribeth. Ne comptez pas sur moi pour vous pousser dans cette direction. Le bonheur est une notion complexe. Vous ne pouvez pas présumer de celui de votre enfant. Il sera peut-être très heureux avec vous... Maribeth, vous êtes comme notre propre fille. Si vous désirez rester, nous vous aiderons.

— Je *veux* vous le donner, répéta Maribeth d'une voix vibrante d'angoisse. Je veux que vous l'ayez, Liz. Je ne peux pas vous l'expliquer mais je sens qu'il le faut... Je ne pourrai pas m'en occuper, poursuivit-elle en pleurant doucement, pendant que Liz l'attirait dans ses bras. Je ne suis pas assez forte... Je n'arriverai pas à élever cet enfant... S'il vous plaît... aidez-moi... Personne ne comprend ma détresse. Chacun croit détenir la bonne solution. Il n'y en a qu'une, et je suis la seule à savoir laquelle. S'il vous plaît... S'il vous plaît...

Elle dévisageait son interlocutrice à travers le voile de ses larmes. Toutes deux pleuraient sans retenue à présent.

— Vous pouvez toujours revenir, vous savez. Je refuse de vous renvoyer loin de nous si... si nous adoptons ce petit... Personne ne saura qu'il est votre enfant... lui-même n'en saura rien... Ce sera un secret entre nous. Nous vous aimons, Maribeth. Nous ne voulons pas vous perdre.

Elle avait scrupule à priver Tommy de la présence de la femme qu'il aimait, uniquement par égoïsme. Juste pour satisfaire son désir effréné d'avoir un autre enfant... C'était un cadeau extraordinaire, un présent trop précieux, et il lui fallait un temps de réflexion avant de s'engager.

— Laissez-moi en parler à John, conclut-elle tranquillement.

— Dites-lui combien j'y tiens, implora Maribeth en s'agrippant au bras de Liz... S'il vous plaît... je ne supporte pas l'idée que mon bébé puisse partir chez des étrangers. Ce serait si merveilleux de le savoir ici, avec vous.

— Nous verrons, murmura Liz, à court d'arguments.

Elle l'enlaça dans l'espoir de lui procurer un peu de réconfort, mais Maribeth ne cessait de la supplier d'adopter son bébé, comme une litanie.

Liz lui prépara un verre de lait chaud, l'accompagna jusqu'à la chambre d'Annie où elle la borda comme une petite fille égarée.

Maintenant elle se tenait debout, enfiévrée, devant le lit où dormait John. Comment le dire à son mari ? Et à Tommy ? Un millier de pensées grouillaient dans sa tête. Sa raison s'élevait farouchement contre un projet aussi insensé. Mais son cœur palpitait au rythme d'une douce espérance. Avait-elle le droit de refuser ce cadeau que la fatalité lui adressait ? Ce don qui la consolerait de tout ce qu'elle avait perdu ? Aurait-elle à nouveau l'indicible bonheur de tenir un petit être contre son cœur, de le protéger et de le chérir ?

John changea de côté quand elle se glissa auprès de lui mais ne se réveilla pas. Blottie dans ses bras, elle demeura longtemps éveillée, l'esprit en effervescence. Le vrai et le faux se mêlaient dans ses pensées. Il était difficile d'en distinguer la frontière.

Comme si son anxiété avait pénétré le cerveau de John, celui-ci ouvrit les yeux.

— Quelque chose ne va pas ? chuchota-t-il dans le noir.

— Si je te demandais si tu voulais un autre enfant, que me répondrais-tu ?

— Que tu es folle, susurra-t-il, les paupières lourdes de sommeil.

Il se rendormit presque immédiatement et elle resta étendue à son côté, les yeux grands ouverts sur l'obscurité. Elle s'assoupit un peu avant l'aube, pour se réveiller presque aussitôt, hantée par des rêves décousus. En chemise de nuit, elle descendit à la cuisine où elle se prépara une tasse de café noir et corsé qu'elle but pensivement, obnubilée par des questions contradictoires.

A huit heures du matin, elle sut ce qu'elle voulait. Elle le savait depuis longtemps mais elle l'avait toujours gardé enfoui dans les profondeurs de son inconscient. A présent, une conviction absolue s'était emparée d'elle. Elle allait adopter cet enfant. Pas seulement pour Maribeth. Pour John aussi. Et Tommy. On n'avait pas le droit de refuser un cadeau du ciel.

Elle regagna sa chambre, sa tasse de café entre les mains, et réveilla son mari. Il lui lança un regard endormi et étonné. Cette année, rien ne les obligeait à se lever aux aurores. Le père Noël n'était pas passé dans la nuit, il n'y avait aucune raison de se précipiter dans le salon, afin d'admirer les cadeaux qui s'accumulaient sous l'arbre. Tommy et Maribeth devaient encore être dans les bras de Morphée.

— Bonjour, lui sourit-elle.

Un sourire presque timide, songea-t-il, qui la rajeunissait de plusieurs années.

— Tu me fais l'effet d'une personne à qui on a confié une grave mission, remarqua-t-il en s'étirant.

— John, j'ai eu une longue discussion avec Maribeth hier soir.

Elle était venue s'asseoir sur le lit en priant le ciel pour qu'il ne refuse pas. Il était inutile de tergiverser. Elle n'avait qu'un mot à dire, une phrase à prononcer. Une frayeur sans nom fondit sur elle, mais elle parvint à articuler :

— Elle souhaiterait que nous gardions l'enfant.

— Nous tous ? demanda-t-il, éberlué. Tommy aussi ? Vont-ils se marier, finalement ? Mon Dieu, toutes mes craintes se confirment.

Il s'était assis sur son séant, complètement réveillé.

— Pas nous tous... Et, non, ils ne se marieront pas... Toi et moi. Elle voudrait que nous adoptions le bébé.

— Nous ? Mais pourquoi ?

— Parce que, à son avis, nous sommes les personnes les plus indiquées pour l'élever.

— Et si elle se ravisait ? Seigneur, qu'allons-nous faire d'un bébé ?

Liz regarda son visage défait avec un sourire apaisant.

— La même chose qu'avec les deux autres, j'imagine. Rester éveillés une nuit sur deux, guetter les premiers signes d'une rougeole, nous extasier sur ses premiers pas... Le regarder grandir, ajouta-t-elle, les yeux assombris en songeant à Annie... C'est un cadeau, John. Quelque chose qui nous est offert. Attends, avant de te mettre à hurler ! Je n'ai pas l'intention de renoncer à mes rêves... Selon le Dr MacLean je n'aurai plus jamais d'enfants... Et voilà que cette jeune fille est arrivée dans notre vie pour nous donner ce que nous avons perdu.

— Et si, dans quelques années, elle se mettait en tête de le récupérer ? Quand elle sera plus âgée, mariée, peut-être même à Tommy ?

— Nous nous protégerons légalement, au cas où. Mais elle ne le fera pas. Elle est sincère quand elle affirme que son enfant sera plus heureux chez nous. Elle m'a suppliée de le garder.

— Attends et tu verras, rétorqua-t-il d'un ton où perçait un soupçon de cynisme. Aucune femme ne peut porter un enfant pendant neuf mois, puis le donner, comme ça.

— Certaines le peuvent, apparemment. Maribeth appartient à cette catégorie. Pas parce que le sort de son enfant lui indiffère. Au contraire, elle s'en soucie trop. C'est un sublime acte d'amour vis-à-vis de ce bébé que de nous le confier.

Des larmes miroitèrent dans ses yeux.

— Je le veux, John. Ne dis pas non, je t'en supplie.

Il lui jeta un long regard scrutateur, intense. Presque brûlant. Après tout, ce bébé les aiderait à revivre. Il ne remplacerait pas Annie, bien sûr, mais il leur apporterait la joie qu'ils avaient depuis si longtemps perdue.

Liz était suspendue à ses lèvres. C'était de lui que dépendait le verdict qui lui redonnerait la vie ou lui en ôterait définitivement le goût.

— D'accord, Liz, dit-il en pressant doucement ses mains entre les siennes. C'est entendu, ma chérie. Je comprends.

Elle se jeta à son cou, en pleurs. Comme elle avait été injuste avec lui ! John n'avait pas changé. Il était toujours le même homme et elle l'aimait plus que jamais.

— Nous donnerons notre réponse à Maribeth bientôt, poursuivit-il. Mais auparavant il convient d'en discuter avec Tommy. Son opinion compte autant que la nôtre.

Elle hocha la tête et dut se résoudre à attendre que son fils se lève. Au bout de deux longues heures qui lui parurent une éternité, Tommy se réveilla enfin. Dieu merci, avant Maribeth.

Tommy haussa un sourcil étonné en découvrant ses parents attablés dans la cuisine. Sa mère prit la parole. Il l'écouta jusqu'au bout sans broncher. Il était mieux placé que les autres pour savoir exactement pourquoi Maribeth tenait absolument à faire adopter son enfant. Depuis quelque temps, il s'était également rangé à son avis : loin de sa mère naturelle, le bébé aurait une meilleure chance de réussir sa vie. Bizarrement, sa décision de le confier à ses parents allégeait le poids qui l'écrasait. Il espérait qu'un jour il épouserait Maribeth et qu'ils fonderaient leur propre famille... Ses parents semblaient attendre une réponse. Son père tenait sa mère par la main « comme au bon vieux temps », ne put-il s'empêcher de songer. Il leur sourit.

— Je crois que c'est en effet la meilleure solution, dit-il sereinement.

Quand Maribeth se leva, la famille au complet l'attendait pour lui annoncer sa décision. Ils avaient voté pour l'adoption de son enfant à l'unanimité. Elle fondit en larmes, les serra dans ses bras, versa encore un torrent de larmes. Et tous pleurèrent avec elle, emplis d'une vague d'ineffable émotion.

— En es-tu sûre ? lui demanda Tom peu après, alors qu'ils étaient partis en promenade.

Elle fit oui de la tête d'un air résolument convaincu. Ils avaient ouvert leurs paquets après le déjeuner et c'était la première fois de la journée qu'ils se retrouvaient seuls.

— Oui. Je le veux vraiment, répondit-elle.

Un calme d'une puissance inouïe l'habitait depuis qu'elle avait assuré l'avenir du bébé... Sur le chemin du retour, elle expliqua à Tommy que le cadeau qu'elle leur avait fait venait d'ailleurs. Les dieux en avaient décidé ainsi, à leur insu, depuis le début. Ensemble, ils vivaient une riche expérience que rien ni personne ne pourrait jamais atténuer ou effacer.

Il ne perdit pas un mot de son discours. Il comprenait, bien sûr, mais parfois le sens de ses paroles lui échappait. Elle paraissait si sérieuse, si intelligente, si débordante de sagesse. Arrivés devant la maison, il se pencha pour l'embrasser. Il la sentit se raidir entre ses bras, comme sous l'effet d'une étrange douleur. Elle lui attrapa la main et l'instant suivant, elle se penchait en avant, cassée en deux par une souffrance physique incroyable.

— Oh, mon Dieu, mon Dieu, s'écria-t-elle, terrifiée, alors qu'il l'aidait à s'asseoir sur les marches.

Une nouvelle contraction irradia tout son corps.

Tommy disparut à l'intérieur de la maison, d'où il ressortit talonné par sa mère. Maribeth demeurait assise, pétrifiée de peur. Ses yeux immenses, dévoraient son visage livide.

Le travail avait commencé. C'était plus dur qu'elle ne l'avait imaginé.

— Ça va aller, déclara Liz, s'efforçant de les calmer. Tommy, dis à ton père d'appeler le médecin. Jusqu'où avez-vous donc marché ? Jusqu'à Chicago ?

— Jusqu'au lac de canotage, répondit Maribeth péniblement.

Un tiraillement plus fort lui coupa le souffle. Apeurée, elle s'accrocha à Liz et à John venu à la rescousse. Tout doucement, ils la ramenèrent à l'intérieur.

— Vous n'avez pas eu de crampes ces derniers jours ? s'enquit gentiment Liz.

— Hier soir j'ai eu très mal dans le dos. Les crampes sont venues ce matin, en même temps que des maux d'estomac.

— Vous êtes probablement en travail depuis hier soir.

La longue promenade avait accéléré le processus. Cela voulait dire qu'il fallait vite l'emmener à l'hôpital. Ils l'avaient étendue sur le canapé. Liz chronométrait les contractions et Tommy, compatissant, lui tenait la main. John avait bondi sur le téléphone.

— Une contraction toutes les trois minutes, compta Liz.

— Tout le monde à l'hôpital, cria John en raccrochant. Le Dr MacLean nous rejoindra sur place.

— Non... non... restons encore un peu ici... implora Maribeth, le visage décomposé.

— Non, ma chérie, je crois que notre petit ami a décidé d'arriver un peu plus tôt que prévu.

Tommy jeta quelques affaires dans un sac. Le temps pressait. Une minute plus tard, la voiture fonçait vers l'hôpital. John avait pris le volant. Sur la banquette arrière, Tommy et Liz entouraient Maribeth et lui prodiguaient des encouragements. Dès qu'ils furent à la maternité, le Dr MacLean apparut, escorté d'une infirmière. Des aides-soignantes firent asseoir Maribeth sur une chaise roulante qu'elles poussèrent le long d'un couloir.

— Ne me quitte pas, souffla-t-elle.

Elle s'était accrochée au bras de Tommy, les joues ruisselantes de larmes, les yeux pleins d'effroi. Le

Dr MacLean lui tapota gentiment l'épaule. C'était une fille jeune et robuste. Tout allait bien se passer.

— Vous reverrez Tommy bientôt, la rassura-t-il. Avec votre bébé.

Elle éclata en sanglots et le garçon lui effleura le front d'un tendre baiser.

— Je ne peux pas aller avec toi, ma chérie. Ils ne me laisseront pas. Sois courageuse... A tout à l'heure.

Il écarta doucement les doigts qui serraient la manche de sa veste. Les yeux de Maribeth cherchaient désespérément Liz. Elle demanda si cette dernière pouvait l'accompagner et le médecin donna son accord... Le cœur de Liz battait à tout rompre quand elle s'engouffra dans l'ascenseur à la suite du fauteuil roulant. Ils débouchèrent directement dans une salle aux murs blancs où deux infirmières déshabillèrent Maribeth. L'une d'elles lui fit une piqûre avec un sédatif qui la détendit un peu sans toutefois diminuer les douleurs qui la traversaient.

Elles l'avaient allongée sur la table d'examen. Le médecin constata tout de suite la violence des contractions. La dilatation avait presque atteint son maximum, poursuivit-il. Dans un instant, elle pourrait commencer à pousser. Ils la transportèrent alors dans la salle de travail sur un chariot. Maribeth avait agrippé les mains de Liz et les tenait fortement serrées, levant sur elle un regard empreint d'une touchante confiance.

— Vous ne changerez pas d'avis, n'est-ce pas, Liz? Promettez-moi que vous aimerez toujours mon bébé.

— Je vous le promets, répliqua Liz, au comble de l'émotion. Je l'aimerai. Comme je vous aime aussi, Maribeth... Merci...

Un gouffre de souffrance avait englouti la future mère. Pendant plusieurs heures, elle souffla, poussa, respira, haletante, se débattant de toutes ses forces pour ne pas perdre conscience. Le bébé était fort. Ils durent utiliser des forceps pour le tirer hors de l'abri maternel. Ils avaient appliqué un masque à oxygène sur le visage de Maribeth. A aucun moment elle ne lâcha la main de Liz.

Il était minuit passé quand un faible vagissement s'éleva dans la pièce, et la nurse ôta le masque, afin que Maribeth puisse voir sa fille... Epuisée, elle adressa un sourire à la minuscule figure rose, puis leva sur Liz des yeux rayonnants d'une joie intense mêlée de soulagement.

— Vous avez une petite fille, murmura-t-elle.

Même dans son état, elle n'avait pas oublié à qui appartenait l'enfant.

— C'est *votre* petite fille, corrigea l'obstétricien à l'intention de Maribeth, avant de tendre le nouveau-né à Liz.

La mère était trop faible pour pouvoir le tenir.

Liz baissa les yeux vers le petit visage. Une touffe de cheveux blond vénitien, des yeux emplis d'une ineffable candeur ; une petite bouche en forme de cœur.

— Bonjour, toi, murmura-t-elle, d'une voix tremblante tandis qu'elle serrait contre sa poitrine l'enfant qui serait bientôt le sien.

Jamais elle n'oublierait cet instant et elle regretta de n'avoir pu le partager avec John. Elle l'avait vue naître... Elle l'avait vue entrer dans la vie, elle avait entendu son premier cri éperdu, comme si elle l'appelait à son secours. Ils l'avaient tous attendue depuis si longtemps.

Une deuxième piqûre calmante avait fait sombrer Maribeth dans une douce somnolence. Liz emmena le bébé à la nursery où il fut baigné, pesé et mesuré. Pas un instant elle ne quitta des yeux le petit être dont les doigts minuscules lui étreignaient l'index. Peu après, les visages de John et Tommy apparurent à la fenêtre de la nursery.

L'infirmière la laissa reprendre le nourrisson qu'elle montra à John. Celui-ci avait fondu en larmes sitôt qu'il avait aperçu leur fille.

— N'est-elle pas magnifique? articula-t-elle silencieusement.

Il était difficile de ne pas se remémorer la naissance d'Annie.

— Je t'aime! murmura-t-il de l'autre côté de la vitre.

Elle répondit qu'elle l'aimait aussi. Soudain, elle avait réalisé avec gratitude qu'ils avaient réussi à vaincre les ombres du passé. Grâce à Maribeth qui venait de leur faire le plus beau cadeau du monde.

— Est-ce qu'elle a beaucoup souffert, maman? s'enquit Tommy, dès qu'ils se retrouvèrent dans le couloir.

Le bébé pesait quatre kilos et demi... un gros bébé, avait déclaré le médecin, rayonnant, surtout pour une jeune fille de seize ans. Il avait un peu forcé sur l'anesthésique pour qu'elle ne souffre pas trop. Ce serait bien plus facile la prochaine fois, dit-il.

— Elle a passé un sale quart d'heure, comme on dit, répondit Liz avec un sourire.

Elle avait encore du mal à croire à tout ce qui venait de leur arriver.

— Est-ce que ça ira? voulut savoir le garçon.

— Bien sûr, mon chéri. Elle se remettra dans peu de temps.

Les infirmières avaient transporté la jeune accouchée dans une chambre individuelle... Dès qu'elle ouvrit les yeux, Maribeth prit la main de Tommy en lui disant combien elle l'aimait et combien le bébé était beau... Une peur immense serra le cœur de Liz. Et si Maribeth avait changé d'avis? Si elle avait décidé d'épouser Tommy et de garder l'enfant?

— Tu l'as vue? demanda-t-elle, tout excitée.

John avait saisi la main de Liz. Un geste simple qui, néanmoins, lui fit comprendre qu'il craignait la même chose.

— Elle est très belle, affirma Tom, affolé par sa pâleur. Elle te ressemble. Sauf les cheveux. Les siens sont dorés.

— Je dirai qu'elle ressemble à ta maman, sourit Maribeth, et son regard chercha celui de Liz.

Entre elles, un lien s'était établi, puissant et indestructible. Une sorte d'attachement viscéral que Maribeth n'avait jamais éprouvé pour aucune autre personne. Après tout Liz avait assisté à la naissance de son bébé.

— Comment l'appellerez-vous ? lui demanda-t-elle d'un ton ensommeillé.

Elle ne s'était pas ravisée. Un intense soulagement envahit Liz.

— Peut-être Kate. Qu'en pensez-vous ?

— C'est un joli nom, murmura Maribeth, dont les yeux se fermaient. Je vous aime, Liz.

— Moi aussi, Maribeth.

Elle l'embrassa sur la joue, donnant aux deux hommes le signal du départ. Il était trois heures du matin. La nuit avait été longue, épuisante. Ils avaient tous besoin de repos.

Ils longèrent le couloir. Devant la nursery, ils ralentirent le pas. A travers la vitre, ils la virent. Toute rose et blonde, emmitouflée dans une couverture duveteuse. Ses yeux se fixèrent immédiatement sur Liz, comme si elle aussi l'avait attendue depuis longtemps... On eût dit qu'elle était venue au monde pour eux, cadeau d'un garçon inconnu et d'une jeune fille qui avait traversé leur existence comme un arc-en-ciel... Tandis qu'ils la contemplaient, émerveillés, Tommy jeta un coup d'œil en biais vers ses parents. Il sourit. Annie aurait adoré sa nouvelle petite sœur.

11

Ils vécurent les deux jours qui suivirent dans un véritable tourbillon. Assisté de Tommy, John descendit du grenier le vieux berceau d'Annie pour le repeindre. Liz passa des heures à le garnir de gaze rose galonnée de ruban de satin. Ils trièrent les anciennes affaires d'Annie, en achetèrent de nouvelles... Au milieu de cette tornade, Tommy allait, de temps à autre, chercher refuge au cimetière près de la petite tombe blanche... Le sapin de Noël trônait encore sur la dalle de marbre et il le contempla longuement, les yeux brillants. Il détestait l'idée même que Maribeth reparte... Mais tout s'était passé si vite. Subitement, le temps s'était accéléré, apportant une foule d'événements imprévus auxquels il ne comprenait plus rien.

Il n'avait pas vu sa mère aussi heureuse depuis si longtemps... Maribeth, elle, affichait une expression à la fois calme et sérieuse. Après la naissance du bébé, Liz et John avaient souhaité une mise au point définitive. Si Maribeth souhaitait se raviser, ils étaient prêts à s'incliner. Elle avait répété les mêmes mots, usé des mêmes arguments : renoncer à son bébé l'attristait mais elle était plus que jamais persuadée d'avoir fait le bon choix... Le lendemain, John téléphona à son avocat et la procédure d'adoption fut mise en marche.

Maribeth apposa sa signature au bas du formulaire administratif. La loi exigeait un délai de réflexion de quelques jours avant que les papiers définitifs soient établis... Maribeth griffonna son nom d'une main tremblante, après quoi elle serra Liz dans ses bras. Ce jour-là, elle pria l'infirmière de garder le bébé à la nursery. Elle avait besoin de solitude pour réfléchir aux conséquences de son acte et chercher à apaiser ses regrets.

Tommy passa une partie de la soirée à son chevet.

— La prochaine fois, cela se passera autrement, je te le promets, chuchota-t-il en l'embrassant.

Ensemble, ils avaient bravé la tempête. A présent, au terme d'une rude épreuve, ils avaient la sensation d'être réunis par un lien que rien ni personne ne pourrait jamais rompre. Maribeth se remettait doucement de ses émotions. Elle avait pris la bonne décision, la seule qui s'imposait, mais elle devait maintenant s'habituer à cette séparation.

Elle quitta l'hôpital avec le bébé le Jour de l'An. Tommy et ses parents étaient venus les chercher. Ce fut Liz qui porta le nourrisson à la voiture, tandis que John prenait des photos... Ils passèrent un après-midi paisible à la maison. Dès que le nouveau-né se mettait à pleurer, Liz se précipitait pour aller le consoler, alors que Maribeth s'efforçait de ne pas réagir. Elle n'était plus la mère du bébé... Elle devait coûte que coûte mettre de la distance entre Kate et elle... Oh, sa petite fille occuperait toujours une place spéciale dans son cœur, elle le savait. Mais bientôt, la rupture serait consommée. Ce ne serait pas Maribeth qui la dorloterait, qui veillerait la nuit sur son sommeil. Elle ne la soignerait pas quand elle tomberait malade, ne lui lirait pas des histoires pour l'endormir. C'était Liz qui était sa mère à présent.

— Tu l'aimes déjà, n'est-ce pas ? questionna John plus tard, contemplant sa femme en train de bercer le bébé.

Elle répondit par un hochement de tête ravi.

— Tant mieux, murmura-t-il en traversant la pièce pour l'embrasser.

L'enfant les avait réconciliés avec la vie. On eût dit une lumière dans les ténèbres, une nouvelle aube printanière au terme d'un hiver interminable.

L'arrivée de Kate avait encore rapproché Maribeth de Tommy. Elle semblait avoir besoin de sa présence à chaque instant. L'idée qu'elle allait devoir bientôt le quitter lui était insupportable. Sans lui, seule et vulnérable, elle aurait du mal à affronter le monde extérieur. Retourner chez ses parents sans qu'il se tienne à ses côtés l'emplissait d'un indicible effroi... Elle traîna toute la semaine autour du téléphone sans oser composer le numéro des Robertson.

— Voulez-vous que je les appelle à votre place ? lui proposa Liz, deux jours après sa sortie de l'hôpital. Sans vouloir vous bousculer, je pense que votre mère aimerait savoir que tout s'est bien passé... Elle doit se faire du souci pour vous, Maribeth.

— Pourquoi ? Papa lui a interdit de me parler pendant plus de six mois et elle s'est pliée à sa volonté. Elle n'était pas là quand j'avais besoin d'elle... Vous étiez là.

Son affection pour ses parents s'étaient muée en franche hostilité. Seule Noelle trouvait encore grâce à ses yeux.

— Votre mère n'a pas pu agir autrement, répondit Liz d'une voix prudente, tout en couchant le bébé dans son berceau. C'est une femme effacée, mais certainement très douce... Je suis sûre qu'elle ne comprend pas comment elle a pu vous trahir à ce point.

Surprise par la perspicacité de son interlocutrice, Maribeth la considéra avec attention.

— Vous semblez bien la connaître. Lui avez-vous parlé ?

Liz hésita un long moment avant de répondre.

— Je lui ai rendu visite avec John après Thanksgiving, dit-elle finalement. A l'époque, nous ignorions que vous vouliez nous donner le bébé... Je voulais simplement rencontrer votre famille et voir où vous alliez vivre. Vous êtes libre de rester chez nous autant que vous le désirez, ma chérie, là n'est pas le problème. Néanmoins, j'ai eu l'impression qu'ils vous aimaient à leur manière. Certes, votre père est un homme têtu, qui a des idées bien arrêtées sur un certain nombre de points. Votre passion pour les études le dépasse... Il ne reste que six mois avant la fin de l'année scolaire, il faut songer à votre inscription à l'université dès maintenant. Je voulais m'assurer qu'il ne s'y opposerait pas.

Maribeth la dévisageait, abasourdie. Ainsi Liz et John avaient parcouru près de quatre cent cinquante kilomètres rien que pour voir les parents qui l'avaient si cruellement rejetée.

— Et qu'est-ce qu'il a dit ? parvint-elle à articuler.

— Il a répondu que si sa femme ne savait rien faire d'autre que tenir son ménage, il n'y avait pas de raison pour que sa fille soit différente...

Elle omit de lui révéler qu'il avait ajouté « si elle trouve un mari, ce qui m'étonnerait, compte tenu de ses frasques ! ».

— Disons qu'il n'a pas su apprécier à sa juste valeur la perle rare que vous êtes, reprit-elle avec un sourire. Il a eu l'air de croire que nous vous avions rempli la tête d'un tas d'idioties à propos de diplômes universitaires, et nous ne l'avons pas détrompé. J'espère même que nous avons atteint notre but, ajouta-t-elle, tandis que John entrait dans la pièce... Par ailleurs, je voudrais vous parler d'une chose importante, Maribeth... Voilà : nous avions constitué un livret d'épargne qui aurait servi plus tard pour les études d'Annie. Tommy a le sien, bien sûr, et, plus tard, nous en ouvrirons un pour Kate... Nous avons décidé de vous remettre cet argent, Maribeth, de manière que vous puissiez poursuivre vos études. Ici ou ailleurs, c'est à vous de décider.

Maribeth garda le silence, comme foudroyée, et John prit le relais.

— J'ai évoqué cette possibilité avec votre père et nous sommes tombés d'accord. Vous finissez le lycée chez vous, puis vous commencez l'université. Si votre choix se fixe sur l'université de Grinnel, nous serons heureux de vous accueillir.

Il échangea un regard avec Liz, qui hocha la tête. Ils présenteraient Maribeth à Kate comme une amie. Peut-être que plus tard, quand elle serait en âge de comprendre, ils lui avoueraient la vérité.

— Eh bien, Maribeth, vous pouvez poursuivre vos chères études maintenant, continua John. Le reste dépend de vous. La vie chez vos parents ne sera pas une sinécure, je vous l'accorde. Votre père n'est pas ce qu'on peut appeler un homme facile. Mais il a réfléchi lui aussi ces derniers mois. Il a réalisé que vous aviez simplement commis une erreur... Oh, il n'est pas près de l'oublier mais, si j'ai bien compris, il aimerait vous revoir...

— Je ne veux pas y aller ! se rebiffa Maribeth en lançant un regard désespéré à Tommy.

Celui-ci était venu s'asseoir près d'elle et lui tenait la main. Ils en avaient parlé des heures durant, s'étaient promis de se revoir le plus vite possible, sans tenir compte de la distance qui séparait leurs villes. Ils savaient aussi que « six mois » ne rimait pas avec « toujours ». Mais à seize ans, un semestre équivalait quand même à une éternité.

— Nous ne vous obligeons pas à rentrer, ma chérie, dit Liz. A mon avis, un bref séjour chez vous ferait du bien à votre mère et vous aiderait à rassembler vos idées... Par ailleurs, je vous incite vivement à ne pas rester trop longtemps là-bas. Ils vous enterreraient vivante, si vous les laissiez prendre le dessus.

Cette dernière remarque amena un pâle sourire sur les

lèvres de Maribeth. Liz ne savait pas si bien dire. La vie avec ses parents lui faisait l'effet d'une mort lente.

— Ils vont certainement essayer. Malheureusement pour eux, ils n'y arriveront pas, grâce à vous.

Elle mit ses bras autour du cou de Liz. Chacune des deux femmes ressentait une immense gratitude à l'égard de l'autre. Alors qu'elles riaient, le bébé se réveilla, puis se mit à pleurer. Sous le regard de Maribeth, Liz le prit dans ses bras... John voulut à son tour cajoler sa fille avant de la passer à Tommy, qui la garda un moment sur ses genoux. Ils la dorlotaient, l'entouraient, lui souriaient, les yeux pleins d'amour et, en les observant, Maribeth se dit que sa fille n'aurait pu mieux tomber.

Elle hésita quand Tommy la lui tendit. La tentation de la tenir un instant entre ses mains l'emporta sur sa réticence. Elle la prit tout doucement, humant passionnément le parfum du talc sur sa peau soyeuse. Instinctivement, le nourrisson tendit ses lèvres roses vers le sein maternel... Les seins de Maribeth étaient gorgés de lait, mais elle ne voulait pas la nourrir, par crainte de ne plus pouvoir la quitter. Elle la remit à Tom, submergée par un chagrin insoutenable. La proximité incessante de son enfant ne tarderait pas à devenir un supplice, réalisat-elle soudain, apeurée. Un jour, peut-être, elle arriverait à l'approcher sans ressentir cette espèce de coup de poignard en plein cœur. Kate serait plus grande alors, et lui semblerait moins familière.

— J'appellerai mes parents ce soir, déclara-t-elle.

Il était grand temps de rentrer à la maison, songeat-elle, de faire la paix avec sa famille. Or, quand elle les appela, rien n'avait changé.

Son père se montra aussi irascible que d'habitude. Il ne s'embarrassa d'aucun préambule et voulut tout de suite savoir si « tout était en ordre ».

— J'ai eu mon bébé, papa. C'est une petite fille.

— Ça ne m'intéresse pas. Est-ce que tu t'en es débarrassée ? interrogea-t-il d'une voix dure.

Le reste d'affection que Maribeth lui portait s'évanouit instantanément, comme la flamme d'une bougie soufflée par un violent courant d'air.

— Des amis l'ont adoptée, répondit-elle d'une voix chevrotante en serrant de toutes ses forces la main de Tommy. Je serai de retour dans quelques jours.

A peine eut-elle prononcé ces mots qu'une expression anxieuse se peignit sur son visage. Elle ne voulait pas y aller. Tout son être se révoltait à cette perspective.

— Ta mère et moi viendrons te chercher.

Elle manqua lâcher l'écouteur. Pourquoi se donnaient-ils cette peine ? Elle ignorait que les Whittaker l'avaient exigé lors de leur visite en déclarant qu'ils se refusaient à la mettre dans un bus en gardant son bébé.

— Nous serons à Grinnel à la fin de la semaine prochaine.

— Est-ce que Noelle viendra aussi ?

— On verra...

— Puis-je parler à maman ?

Sans un mot de plus, Bert Robertson passa le récepteur à sa femme. Celle-ci fondit en larmes sitôt qu'elle entendit la voix de sa fille. Contrairement à son habitude, elle la bombarda de questions : l'accouchement s'était-il passé normalement ? le bébé était-il en bonne santé ?

— Elle est splendide, maman, murmura Maribeth, tandis que des larmes silencieuses coulaient le long de ses joues.

Les deux femmes pleurèrent pendant quelques minutes et, soudain, la voix fraîche de Noelle explosa à l'autre bout du fil. La conversation ne fut plus qu'une succession d'exclamations, de gloussements, de nouvelles de tous les jours. Noelle avait entamé sa première année au lycée. Elle attendait sa grande sœur avec impatience et semblait très impressionnée par son admission en terminale.

— Tu as intérêt à ne pas manquer tes cours, sourit Maribeth à travers ses larmes. Je t'aurai à l'œil.

Peut-être Liz avait-elle raison. Peut-être que, finalement, la réconciliation tant attendue aurait lieu. Elle raccrocha, puis annonça à Tommy qu'ils viendraient la chercher le week-end suivant.

Les jours s'écoulèrent à la vitesse de l'éclair. Liz avait pris un congé d'un mois, afin de s'occuper du bébé. Entre les biberons, le bain, et la lessive, elle n'avait plus une minute à elle. Maribeth se sentait épuisée, rien qu'à la regarder s'activer avec autant d'énergie.

— Je n'aurais jamais pu faire tout ça, Liz !

— Vous en auriez été parfaitement capable s'il l'avait fallu. Un jour, vous ferez la même chose pour vos enfants... En temps et en heure, avec un mari digne de vous. Alors, vous vous sentirez prête.

— Oui, je ne l'étais pas encore. Si j'avais conçu Kate avec Tommy, ç'aurait été différent.

Elle ne cessait de se répéter qu'elle avait eu raison de faire adopter Kate, essayant par-là de se préparer à la séparation imminente. Le plus dur restait à faire... Quitter les Whittaker et Tommy, sans parler du bébé.

Elle éclatait en sanglots pour un rien. Le fidèle Tommy la sortit tous les soirs, après l'école. Une fois, une longue promenade en voiture les amena jusqu'au lac et ils éclatèrent d'un rire complice en se remémorant le jour où il avait découvert qu'elle était enceinte parce qu'elle était tombée dans l'eau... Ils retournèrent au cimetière, ôtèrent le petit sapin de la tombe d'Annie... Ils se rendirent partout où ils avaient été, comme pour graver chaque détail du paysage dans leur mémoire.

— Je reviendrai, tu sais, promit-elle.

— Sinon, je te suivrai. Ce n'est pas fini, Maribeth. Notre histoire n'est pas terminée.

Ils le croyaient de toute la force de leur âme juvénile. Leur amour, pareil à un pont, reliait le passé à l'avenir. Aucun cyclone, aucun ouragan, ne le détruirait jamais. Mais des ombres noires menaçaient de noyer le présent.

— Je ne veux pas que tu partes !

— Je m'inscrirai à l'université de Grinnel.

Rien de moins sûr, lui soufflait sa petite voix

intérieure. Il serait difficile de revoir aussi vite le bébé. Et pourtant, perdre Tommy se révélait au-dessus de ses forces. Elle ignorait de quoi son avenir serait fait.

— Je te rendrai visite, lui jura-t-elle.

— Moi aussi, répondit-il en déployant un effort titanesque pour refouler ses larmes.

Comme l'épée de Damoclès, la date fatidique était suspendue au-dessus de leur tête... Les parents de Maribeth arrivèrent dans une nouvelle voiture. Noelle jaillit aussitôt de l'automobile, dans des vêtements flambant neufs et les deux sœurs tombèrent dans les bras l'une de l'autre en pleurant.

Les Whittaker invitèrent les Robertson à déjeuner ; ceux-ci déclinèrent l'offre en prétextant qu'ils avaient un long chemin à effectuer. Margaret Robertson, immobile, semblable à une statue de sel, couvait sa fille aînée d'un regard plein de regrets... Elle se repentait amèrement pour tout ce qu'elle avait été incapable de lui donner. Le courage lui avait manqué. A présent elle avait honte qu'une autre l'ait fait à sa place.

— Tu vas bien ? demanda-t-elle avec précaution, sans un mouvement dans sa direction, comme si elle avait peur de la toucher.

— Oui, maman... (Maribeth resplendissait. L'ado-lescente dégingandée s'était transformée en femme. Elle n'était plus une petite fille maintenant qu'elle était devenue mère.) Et toi ?

Margaret ébaucha une grimace douloureuse en guise de sourire, puis demanda à voir le bébé. A sa vue, elle se tamponna les yeux à l'aide d'un mouchoir en disant qu'il ressemblait à Maribeth au même âge.

Ils rangèrent ses bagages dans le coffre, tandis que Maribeth observait la scène, le cœur lourd. Soudain, elle fit volte-face pour s'envoler vers la chambre de Liz où elle prit Kate dans ses bras, la serrant doucement contre son cœur. Le bébé dormait paisiblement, incons-cient du drame qui se tramait... Et une fois de plus, Maribeth se dit que la vie n'offrait aucune garantie, seulement des promesses.

— Je m'en vais maintenant, chuchota-t-elle au chérubin endormi. N'oublie pas combien je t'aime... Je ne serai plus ta maman quand je reviendrai... Sois sage... Et prends soin de Tommy, d'accord ?

Les yeux clos, elle pressa les lèvres sur la petite joue ronde. Chaque fibre de son corps se tendait vers l'enfant. Sa petite fille. Son bébé. L'être qu'elle ne cesserait jamais de chérir, qu'elle soit proche ou loin — la distance ne comptait pas —, jusqu'à la fin de ses jours.

— Je t'aimerai toujours, murmura-t-elle tout contre les cheveux satinés, avant de reposer Kate dans son berceau, avec des gestes d'une douceur infinie.

Le bébé avait ouvert les yeux, comme s'il comprenait la détresse de sa mère. Un ultime regard. La certitude de vivre un moment unique, entre mère et fille, qui jamais ne se reproduirait.

— Je t'aime, répéta Maribeth.

En se retournant, elle faillit tomber sur Tommy. Il avait assisté en silence à la scène des adieux.

— Tu n'étais pas obligée de renoncer à Kate, dit-il, les yeux brillants. Je voulais t'épouser. Je le veux encore.

— Moi aussi je t'aime... Tom, ne m'en tiens pas rigueur, mais j'ai choisi la meilleure solution et tu le sais. Tes parents sont fous de bonheur et, quant à nous, nous avons une vie entière devant nous.

Elle l'avait entouré de ses bras et l'étreignait, toute tremblante.

— Oh, Dieu ! comme je t'aime ! Et comme je l'aime ! Parfois, l'amour est renoncement. J'ai agi pour son bien.

— Tu es merveilleuse, dit-il dans un souffle en la serrant de toutes ses forces, comme s'il désirait la garder pour toujours à l'abri de ses bras. La personne la plus merveilleuse que j'ai jamais connue.

— Toi aussi.

Ensemble, ils sortirent de la chambre où elle avait laissé son bébé. Maribeth avait l'impression que le temps s'était arrêté et elle se retrouva dehors avec Tommy, sans trop savoir comment. Liz et John ne purent retenir leurs larmes quand elle les embrassa. Elle leur promit de les appeler, de donner de ses nouvelles, de passer les voir souvent... Or, au moment même où elle s'engageait à revenir, quelque chose — la peur d'être une intruse dans la vie de Kate — l'exhortait à s'éloigner. Pourtant, son rêve le plus cher était de retrouver Tommy. Prise dans ses propres contradictions comme dans une nasse, elle se pendit au cou de son ami.

— Je t'aime, dit-il avec fougue.

L'ultime affirmation... Il connaissait ses peurs, ses hésitations, ses appréhensions, mais lui aussi avait pris des décisions. Il ne la laisserait pas sortir de sa vie sur un baiser d'adieu... Cependant, aucune certitude ne berçait ses espérances. Il avait appris, comme les autres, qu'on n'a pas prise sur l'avenir. Des événements imprévisibles et intolérables avaient eu lieu... Personne n'avait imaginé qu'Annie s'en irait si brusquement, ni que Kate arriverait tout aussi inopinément ou que Maribeth franchirait le seuil de leur demeure, semblable à un ange en visite. Le destin avait des lois qui dépassaient l'entendement humain ; ils savaient maintenant que la suite échapperait à leur volonté et que le temps se chargerait, seul, de transformer leurs souhaits en réalité... ou pas...

— Je vous aime tous tant, soupira Maribeth, les embrassant de nouveau, incapable de les quitter.

Une main se posa sur la sienne. Une main d'une douceur inattendue. Celle de son père.

— Viens, Maribeth, rentrons, dit Bert Robertson, l'œil humide. Tu nous as manqué, ma fille.

Il lui avait ouvert la portière, s'était effacé pour lui permettre de s'installer sur la banquette arrière. Elle le regarda, étonnée. L'ogre de ses souvenirs n'était plus qu'un homme rongé par ses propres faiblesses, égaré dans une vision passéiste du monde.

La portière claqua.

Tommy et ses parents suivirent longtemps du regard la longue et rutilante voiture qui emportait Maribeth. Leur espoir de la revoir bientôt était tempéré par une sorte de réserve vis-à-vis des caprices du sort. Ils étaient heureux de l'avoir rencontrée. Elle les avait rendus à la vie et ils lui avaient offert un avenir.

— Je vous aime ! formula silencieusement Maribeth derrière la vitre arrière de la voiture, qui s'en allait.

Une larme perla à ses yeux.

Ils la virent agiter la main de l'autre côté de la paroi vitrée, la limousine disparut à un tournant, et ils retournèrent ensemble vers la maison, vers le précieux cadeau qu'elle leur avait laissé.

Vous avez aimé ce livre ?
Vous souhaitez en savoir plus sur son auteur ?
Devenez membre du
CLUB DES AMIS DE DANIELLE STEEL
et recevez une photo en couleurs dédicacée

Il vous suffit de renvoyer ce bon — accompagné d'une enveloppe timbrée à votre nom —
au **CLUB DES AMIS DE DANIELLE STEEL** —
12, avenue d'Italie — 75627 PARIS CEDEX 13.

CLUB DES AMIS DE DANIELLE STEEL
Monsieur — Madame — Mademoiselle
NOM :
PRENOM :
ADRESSE :
CODE POSTAL :
VILLE :
Pays :
Age :
Profession

Voici la liste des romans de Danielle Steel publiés aux PRESSES DE LA CITE :
Album de famille (87 574-0) — **La Fin de l'été** (71 166-3) — **Une autre vie** (87 575-7) — **Secrets** (87 954-4) — **La Maison des jours heureux** (71 167-1) — **La Ronde des souvenirs** (71 164-8) — **La Vagabonde** (87 953-6) — **Traversées** (71 165-5) — **Les Promesses de la passion** (45 062-4) — **Un parfait inconnu** (49 632-3) — **Kaléidoscope** (91 561-1) — **Zoya** (48 157-2) — **Star** (50 969-5) — **Cher Daddy** (50 970-3) — **La Belle Vie** (97 608-4) — **Loving** (91 560-3) — **Au nom du cœur** (71 657-1) — **Il était une fois l'amour** (71 658-9) — **Souvenirs du Vietnam** (50 971-1) — **Coups de cœur** (83 776-5) — **Un si grand amour** (83 779-9) — **Joyaux** (83 778-1) — **Naissances** (83 773-3) — **Disparu** (98 282-7) — **Le Cadeau** (168 989-2)
Si un ou plusieurs titres vous manquent, commandez-les à votre libraire, en lui indiquant le numéro de code du livre figurant entre parenthèses.
(Au cas où votre libraire ne pourrait obtenir le ou les livres que vous désirez, écrivez-nous pour acquérir le ou les titre(s) qui vous manquent, par l'intermédiaire du club).